紀貫之とカミヨの歌

ヲシテを知って！

上領 達之

溪水社

まえがき

この本の主題は、誰もが一度は聞かされる「漢字が伝来するより前の日本には文字がなかった」という定説に対する異議の申し立てです。「その前から日本固有の文字はあった」という伝承は各地にあります。いわゆる「神代文字（じんだいもじ）」とよばれる一群の「文字のようなもの」がそれで、その多くはその土地の石柱や岩壁に彫られていたり、寺社に奉納されていたり、あるいはそこの扁額や護符に書き込まれていたりします。しかしそれらの神代文字で記された、ある程度の長さがあって信用に足る文書（の写本）はほとんど残されていません。写本があっても近世に偽造されたニセモノであるとして、大学の先生たちからは無視されています。

しかしその中で一つ、「ヲシテ文字」については何人もの在野の学者が真剣に研究をなさっています。ヲシテ文字で書かれた文書の写本は「ヲシテ文献」とよばれて、この中には『ホツマツタヱ』と『ミカサフミ』、『フトマニ』の題名をもつ三つ写本が含まれます。ただし完全な形で（完本として）見つけられているのはホツマツタヱだけで、ミカサフミはまだ全体の一割くらいしか探し出されておりません。フトマニは『カクノフミ』とよばれる別なヲシテ文献の一章のようです。もちろんヲシテ文字もヲシテ文献も、大学の先生がたからは「江戸時代より前の写本がない」

という理由でニセモノ扱いをされております。

こういう状況の中で、「ヲシテ文献は平安時代の初期までは写し継がれていたらしい」という証拠をお示ししようとするのが、この本の眼目です。その「証拠」とは、『古今和歌集』の編纂に中心的な役割を果たした紀貫之の身近にフトマニとホツマツタヱがあったらしいということです。彼はそこに載っている、現代の短歌と同じ五・七・五・七・七の三十一音から成る「ウタ」を手本にして「仮名序」を書いたようなのです。仮名序に挙げられている六つの例歌のうちの四つまでが、フトマニ（百二十八首を収めています）の中のウタとそっくりでした。詳しいことは本文で紹介いたしますけれど、その似方は誰にも「偶然」とは考えられないほどに明瞭です。それほど似ていますから、大学の先生にお知らせしたらきっと「江戸時代の酔狂人が古今和歌集の例歌を真似して、フトマニとかいうニセ古文書を捏造したのだよ。あの時代は国学ブームだったたからね」と反論なさるでしょう。けれどフトマニと仮名序の全体をご覧になれば、その反論の虚しさに気づかれるはずだと思っています。

紀貫之がもっていたヲシテ写本を見つけたわけではありません。しかし彼が正確に真似できたのですから、フトマニは平安時代初期まで記録物として残っていたことが示唆されます。この示唆は江戸時代までで止まっていたヲシテ写本の歴史を一千年近く引き上げることでしょう。漢字が伝わってくる前（有史以前、飛鳥時代よりも前）の日本にヲシテで記された文字資料があったという可能性が高まりました。だからこれを機にヲシテ写本がホンモノらしいことをもっと多くの方に知っていただきたいのです。そう思ったから年を取った門外漢である僕―自己紹介すると昭和十七年の生まれで農学部を卒業し、医学部に就職したあと総合科学部で退職した―が、市販の出版物のいくつかから得た知識の範囲で、ヲシテを知っていただこうと思い立ったのです。「素人は引っ込んでおれ」とおっしゃる専門家の先生がたの叱責は承知のうえです。しかし「総合科学部」という互いに異なる分野の研究者が一つの組織を運営する、いわば実験的な職場で長く働いたために、しがらみのない素人の発言が重要であると気づかされる場面にもしばしば出会ってきました。だからこその「ヲシテを知って！」なのです。

なお、この本の本文では「ヲシテ文字」を使いません。不本意ながら片仮名で代用します。その理由は二つあって、一つ目はヲシテ文字には世界共通の「ユニコード」が割り当てられていないためにキーボード入力が（一般には）できないからです。二つ目のもっと重要な理由は、ヲシテ文字という図形のような文字が多用されている本にすると、いちばん読んでいただきたい、ヲシテに馴染みのないあなたに拒絶されそうだと思ったからです。

目　次

紀貫之とカミヨの歌——ヲシテを知って！

第1章　ヲシテ文字とヲシテ文献

「ヲシテ」というものをご存じない方に読んでいただきたいので、ここでは漢字文化の渡来以前に日本列島の少なくとも中心的な地域にはヲシテ文字を使う文化があった、という前提で話を進めてまいります。ですからヲシテ文字とそれで書かれた文書の説明が中心になります。この章では、ヲシテで書かれた文献を安易に現代日本語へは翻訳できないことや、日本人の心が五・七（七・五）調と深くつながっていることを感じ取っていただければ幸いです。

（1）ヲシテ文字

アワウタで基本のヲシテ文字を

ヲシテ文献（写本）に現れる文字の種類はとても多いのですけれど、煎じ詰めると四十八文字に集約されるそうです（青木純雄・平岡憲人『よみがえる日本語—ことばのみなもと「ヲシテ」』）。だからこの四十八種類を「基本ヲシテ」とよびます。少し乱暴ですけれどそれぞれの字の読み方を現代日本語に対応するものとして表現しますと、「イロハ四十七文字」に「ン」を加えた合計四十八種類になります（資料1）。もちろんヲシテ文献のどこにもこんな図は描かれていません。この図は『ホツマツタヱ』というヲシテ文献の中にある「アワウタ（アワ歌）」を、現代の五十音図に近い形に整理した結果です。

まずヲシテ文献のアワウタを片仮名表記で紹介します（1—4〜5）。

アカハナマ　イキヒニミウク
フヌムエケ　ヘネメオコホノ
モトロソヨ　ヲテレセヱツル

			あ	か	は	な	ま	た	ら	さ	や	わ
			φ	k	h	n	m	t	r	s	y	w
あ	a											
い	i											
う	u											
え	e											
お	o											

資料１　ヲシテの基本四十八文字
『よみがえる日本語—ことばのみなもと「ヲシテ」』（40頁）から改変

スユンチリ　シヰタラサヤワ

これを資料1へと整える話の前に、「1―4〜5」と示した出典箇所の表し方を説明します。この本で引用するヲシテ文のほとんどはホツマツタヱからなので、それを示す「ホ」のような文献の略号は省きます（数字からはじまる場合はホツマツタヱからの引用だ、ということです）。最初の太字の数字はアヤ（現代語の「章」に相当）の番号で（奉呈文は「0」とします）、ハイフンのあとの並書体の数字は写本の頁数です。その写本は池田満（以下、すべての人名には敬称を省きます）の『定本 ホツマツタヱ―日本書紀・古事記との対比―』が底本にしている和仁估（わにこ）安聡（やすとし）本です。この写本ではヲシテ文の左に漢文の訳をつけているために一頁に四行しか入っていません。アワウタが書かれている箇所は、最初のアヤの第四頁の二行目から五頁の第一行に相当します。なお「1」であるこのアヤの表題は「キツノナトホムシサルアヤ」です。「いくら古いといったってこれで日本語か？」と思われるかもしれません。しかし「キ・ツ」が「東・西」のよび方で（第4章の「＊干支とヱトは別物」）、「ホムシ」は「稲穂を荒らす害虫」のことだと知れば「東西（南北）の名前（の由来）とイネの害虫が退治される（話の）章」と納得することにそれほどの困難はないと思います。

四十八音の並び方

ここで、アワウタの先の二行を「カミ」のウタといい、後の二行を「シモ」のウタとします。カミの最初の音が「ア」で、シモの最後の音が「ワ」だから、「アワ」ウタなのです。このウタで四十八音図を理解するには、資料1に相当する簡単な図を訓令式のローマ字（基本ヲシテに対応する四十八音に限定します）を頭に置きながら仮名を使って自分で作ってみることが一番です（資料2）。原稿用紙でも白紙でも横に十列、縦に五段が入る枠を作って、枠の左横に上からa、i、u、e、oと書きます。枠の上には左からφ、k、h、n、m、t、r、s、y、wです。最初の「φ」だけは「ファイ」と読むギリシア文字（英語なら「f」か「ph」）で、ここでは「音のない音」の記号だと思ってください。

まずカミのウタを第一段の左端から右へ、φa、ka、ha、na、maの枡目に入れはじめます。ア、カ、ハ、ナ、マまで書いてから後が少し複雑です。イ、キ、ヒ、ニ、ミ、ウ、クの

	φ	k	h	n	m	t	r	s	y	w
a	ア	カ	ハ	ナ	マ	タ	ラ	サ	ヤ	ワ
i	イ	キ	ヒ	ニ	ミ	チ	リ	シ	ヰ	
u	ウ	ク	フ	ヌ	ム	ツ	ル	ス	ユ	ン
e	エ	ケ	ヘ	ネ	メ	テ	レ	セ	ヱ	
o	オ	コ	ホ	ノ	モ	ト	ロ	ソ	ヨ	ヲ

資料2　アワウタからヲシテ四十八文字図を作る

初めの五音を二段目の左端から右へφi、ki、hi、ni、miの枡に入れるのはいいとして、残ったウ、クを三段目の左端からφu、kuの枡目に入れるのです。十列ある枠の右側の五枠は空けたままにしておくところが肝要です。カミのウタの二行目に移って初めのフ、ム、ヌは作りかけの図の最後のクに続けます。この行も右半分を空けて、残りのエ、ケと、ヘ、ネ、メは第四段に左詰めで入れましょう。残ったオ、コ、ホ、ノは、もちろん五段目です。この段は四文字で終わってしまったけれど、これでカミのウタはすべて枠の左側に収まりました。ここで文字の入った桝と空白の桝との境目に目立つ線を引けば、カミとシモの境界が明白になります。

シモに移って頭の六音モ、ト、ロ、ソ、ヨと、ヲは、最下段の残り六桝に左詰めで入れていきます。続くテ、レ、セ、ヱ、ツ、ルは第四段のメの右のte桝から入れるのですけれど、ヱを書き込んだら、続くツ、ルはもう一段上げて三段目のムの右二つの桝に書きます。これでwe桝は最終的な空桝になりました。シモのウタ四行目の冒頭、ス、ユ、ンは、ルの右に残った三枡に入れて、チ、リは、枠の二段目に上がって、ミの右に続けます。シ、ヰ、タ、ラ、サ、ヤ、ワの、シ、ヰはリに続けて、タ、ラ、サ、ヤ、ワは枠の一段目に入れるのです。こうすることで、wu桝がン、wi桝は空白になり、wa桝にワが収まって音列の図が完成しました。ヲシテでのヰとヱはヤ行（y列）の音になっています。

「ヰ」、「ヱ」、「ン」のこと

we桝を空白としたときに、ツをtu桝に送るだけなら、ye桝を空けてwe桝にヱを入れてもよいはずですけれど、一桝跳ぶのはいかにも不自然です。それくらいならはじめからy列とw列を入れ替えて、

モトロソを　よテレセゑツル
スんゆチリ　シゐタラサわや

としていたはずです。そうすれば、「ゐ」と「ゑ」は、現代の五十音と同様に、ワ行（w列）の音になって、アワウタとは違ってきてしまいます。

それから、ンがwu枡に入っていることも意外に思われたことでしょう。しかしアワウタに従う限り、どうしても「ン」はこの枡（wu）にしか入らないことを分かっていただけると思います。またよく考えてみると現代語でも「ン」は曲者です。ローマ字表記するときに「ア（φa）」や「ス（su）」のように子音と母音の組み合わせでは表せません。この音だけなら「un」と書けないこともないけれど、実際のことばの中では間違いになります。そのため言語学の分野では、ンだけを「撥音（はつおん）（三味線などの弦を撥（ばち）で弾いたような音）」とよんでいます。現代五十音図でも最後に申し訳なさそうに付け足されています。ヲシテ語（まだヲシテを認めたくなければ「上代日本語」と読み替えてください）が使われていた時代も事情は同じだったかと想像します。だから、wu枡に

入っている文字（図形）は「ン」と読むことにしておきましょう。撥音についてはあとの「変則表記」で再考します。

ヲシテ語（これがニセモノでなければ）と現代日本語のあいだにはおそらく千七百年くらいの隔たりがあって、そのあいだには発音の変化があっただろうし、それに加えて仮名表記の仕方も変わってきています。七十年余り前の本では「ゐど（井戸）」、「ゑほん（絵本）」、「てふてふ（蝶々）」などと書かれていました。今ではもちろん「いど」、「えほん」、「ちょうちょう」です。これ以上のことは専門書に任せますけれど、話者がいなくなってしまった言語の復元が難しいことは間違いありません。アイヌ語の保存は上代日本語の理解にとっても大切なことだと思います。

ヲシテ図象

基本ヲシテの紹介に入ります。資料1と資料2を合わせてみれば分かることですけれど、もう少し立ち入ったことを『よみがえる日本語―ことばのみなもと「ヲシテ」』に沿って説明します。これまではヲシテ文字のことを「図形」といってきました。しかし青木と平岡はヲシテ文字を単なる表音記号とは見なさずに、形の中に意味が秘められているという理由から「図象」とよんでいます。そこで、この本でもこの用語を使うことにします。資料1の上から三段目では子音図象を表していて、左から三列目は母音図象を示しています。四段目以下の枡に入っている、この両

ハニ	ミツ	ホ	カセ	ウツホ	態／相	
□	[illegible]	△	∩	○		
オ	エ	ウ	イ	ア	・	はじめ
コ	ケ	ク	キ	カ	｜	つなぐ
ホ	ヘ	フ	ヒ	ハ	‖	ひらく
ノ	ネ	ヌ	ニ	ナ	十	なる
モ	メ	ム	ミ	マ	T	たす
ト	テ	ツ	チ	タ	Y	かける
ロ	レ	ル	リ	ラ	人	ちらす
ソ	セ	ス	シ	サ	一	とめる
ヨ	ヱ	ユ	ヰ	ヤ	丄	はねる
ヲ		ン		ワ	◇	おわる

資料３　ヲシテ図象の音と意味
『ホツマツタヱ発見物語』（481頁）から改変

方を重ね合わせた複合図象がヲシテ文字です。

「単なる表音記号とは見なさずに」の内容の一部は資料3が示しています。この図は、資料1を時計回りに九十度回転させています。こういう縦書きにしないと図象に込められた意味を理解し難いからです（もちろんヲシテ文献はすべて縦書きで記されています）。資料1では音との関係だけに注目したために「子音」とよんだ図象が、縦書きの資料3になると「はじめ」とか「つなぐ」、「ひらく」という、物事のありさま（うごき）を意識するように書かれています。この意識を「相」とよぶそうです。また五種類の母音図象には、これらに接した人が抱く印象が込められていて、こちらは「態」とよばれます。言い直せば子音図象は相図象であり、母音図象は態図象なのです。五つの態図象は「ウツホ」や「カセ」などの名前がついています。四十八個の完全なヲシテ図象（ヲシテ文字）について述べる代わりに、それを態（母音）図象と相（子音）図象に分解して、それぞれに簡単な説明を試みます。

個々の相図象には名前がないしヲシテ文献での言及もありませんでした。これに対して態図象の名前はヲシテ文献に何度も出てきます。煩わしく思われる方がおられることを心配しつつ、四つの文例を紹介します（煩わしければ、跳ばしても結構です）。なぜならヲシテ文献の書かれ方を知ることも大切だと思うからです。ただし、残念なのはヲシテ図象を使えないことです。文献では基本ヲシテとは異なる、敬意などの込められた変体ヲシテが頻繁に使われております。それらをみな同一の片仮名に替えてしまうことはまったくの暴挙なのですけれど、ここではそれを必要悪として認めてください。文中で触れられている態図象の名はゴシック体で表しました。濁点の有無（図象そのものも）は和仁估安聡（わにこやすとし）本に従っています。

第一例は、ホツマツタヱの「ヨツキノルノトコトノアヤ」（十四アヤ）の十二頁から十三頁です（14―12～13）。

・・・・　**ウツホカゼホト**
ミヅハニノ　ヰツマシワリテ（ヰツ、五つ。マシワリテ、交わりて）
ヒトトナル　アメナカヌシノ（アメナカヌシ、地上に現れた最初のヒト）
カミハコレ　・・・・・・・（カミを漢字で書く「神」とは思わないでください）

第二例は、ホツマツタヱの「ハラミツツシムオビノアヤ」の十二頁から十三頁にかけてです（16―12～13）。

・・・・・　メハノチクタリ（一字目の「メ」は「女」を意味します）
クニドロノ　**ハニミヅ**ワケテ（前行のノチクタリ、「その後、下へ降りて」）
ハニハヤマ　**ミツ**ハウミナリ
ヲノ**ウツホ**　**カゼ**トウコキテ（一字目の「ヲ」は「男」を意味します）
ホトハケル　・・・・・・

第三例は、ホツマツタヱの「オノコロトマジナフノアヤ」の十頁から十二頁までです（18―10

〜12）。

・・・・・　ワトアニワケテ　（ワトア、アワウタの末尾と冒頭を示します）
アイウエオ　ウツホカゼホト
ミヅハニノ　マジワリナレル
ミナカヌシ　ヤオモニウメル　（ミナカヌシ、アメナカヌシと同義です）
ヒトハホシ　ホシハタネナス
ミヲヤカミ　ヒトニウマレテ
ウグメクニ　トコヨノミチオ　（トコヨ、ヲシテの故郷になるクニの名前です）
ヲシユカミ　・・・・・　（ヲシユ、教える。ヲとオの用法は現代と違います）

第四例は、別なヲシテ文献である『ミカサフミ』から採りました。その「ミカサフミ　タカマナルアヤ」の百二十頁とその次の頁です（ミ―120〜121）。

・・・・・　ウツホウコキテ
カゼトナル　カゼホトナレハ
ツチモマタ　ミヅハニトナル
コノヰツツ　マジワリナレル　（ヰツツ、五つ）

カンヒトハ　アウワアラワル　（アウワ、諸々の意味での根源を表現します）
ミナカヌシ　・・・・・・

態図象（五要素）

引用文では特定のヲシテに濁点が付いたり付かなかったりするし、連続して書かれているので分かり難かったでしょう。改めて説明します。態図象の五つを「五要素」と表現するそうで、ウツホには「気体」、カセには「冷たく降りる」、ホには「温かく昇る」、ミツには「液体」、ハニには「固体」という説明がついていました。

a母音の図象でもある「**ウツホ**」態については、『源氏物語』よりも古い『宇津保（うつほ）物語』のウツホがその一端を語っているかもしれません。目に見える物質では満たされていない、大木の洞（ほら）のような空間です。もっと視野を広げれば宇宙のような大空間でもあります。一見するだけではなにもないけれど、どんなものでも出てくる（生み出す）可能性があります。だから「すべてのモト」が根本のイメージです。「ウッホ」に対する「気体」という表現は、次の「カセ」や「ホ」も含めての説明だと受け取りましょう。ミカサフミの「**ウツホ**ウコキテ　**カゼ**トナル　**カゼ**ホトナレハ」の表現からそう考えます。

i母音に当たる「**カセ**」態は、引用文の多くの箇所で「カセ」のセに濁点が付けられていました。「風」と思いたい筆写者が付けたのでしょう。太陽に温められた大気（や生き物）の動きを思ってください。いったんは左下から動きが活発になる（上昇する）過程があって陽が沈めば不活発な（冷えた）状態に戻ります。人間にとって上昇のほうはありがたいですけれど一度それに慣れてしまうと、身震いを誘う夕方の冷気の印象が強くなるので「冷たく降りる」と説明されるのだろうと想像します。

u母音を示す「ホ」態のホがヲシテ文に現れるときは、h子音の図象が基本の縦棒二本ではなく三角形（「ホ」態の図象です）に替えられます。先ほどの第四例を実際にお目にかけましょう（資料4）。一行目の下段三字目にある「ウツホ」の「ホ」も変体ヲシテではあるけれど基本の相図象である縦

ヒニウメル
カゼトナル
ミ-121
ツチモマタ
コノキツ、
カンヒトハ
ミナカヌシ

ウツホウコキテ
カゼホトナレハ
ミツハニトナル
マジワリナレル
アウワアラワル
クニタマヤモニ

資料4　ウツホの「ホ」とホ態の「ホ」
『新訂　ミカサフミ・フトマニ』（63頁）から

棒二本の感じは残っています。それに対してそのすぐ左にある「ホ態」の「ホ」の場合は明らかに三角形です。この際ついでに普通の文章の中で基本ヲシテ以外の図象がよく使われていることを納得してください（一行目のヒ、二、五行目のハ、五行目のア、ウ、ワ）。ホ態に対して心の中でなら「炎」のイメージをもっても構いません。これを「熱気が昇る」と見れば、カセの「冷たく降りる」との組み合わせが納得できるはずです。しかし熱の根源は太陽だから三角形の頂点に太陽を感じることも大切です。太陽のお陰で地上のすべてが動きを得るのですから。

e母音の態図象名は「ミツ」です。蜂蜜の「ミツ」ではありません。不思議なことに「蜜」の字には訓（よみ）がありません。上代人が（蜂の）蜜を食べなかったとは思えないので対応することばはあったはずです。ヲシテ文献には未解読の単語が多いので、「訓はまだ見つかっていない」というべきかもしれません。だから「ミツ」は「ミヅ（水）」なのです。先の例文では一か所（第二例の三行目）以外は、「ミヅ」とツの図象に濁点が加えられていました。「カゼ」の場合と同じく後世の写本者の所業です。歴史的仮名遣では「水」を「ミヅ」と書いていました。JR中央線の「御茶の水」駅の昔の標識は「おちやのみづ」でした。第二の例文（16―13）では「ミツハウミナリ」とあります。「ウミ」は塩水の海だけでなく淡水の湖も含むし、この形を見て河川を省けるはずがありません。ホ態とは違う動きを思い描いてください。

o母音の図象でもある「ハニ」態は、埴輪（はにわ）の「ハニ」に通じます。埴輪は大地の表面を覆う土に水を混ぜて練って形を整えて素焼きしたものでした。最初期の埴輪は単純な円筒だったそうですから、まさに（大地の一部である）土を輪にした物なのです。第二例の上の句は「ハニハヤマ」ですから、ハニが表土にとどまらずに山を含む陸地のイメージでもあることは確かです。四角形はどっしりして安定な確定的な印象を与えます。

「ウッホ」、「カセ」、「ホ」、「ミツ」、「ハニ」を、「空」、「風」、「炎」、「水」、「土」と翻訳するのは正しくありませんけれど、初歩的な理解には役立ちます。どの文例でも「ウッホ」、「カセ」、「ホ」の三者（変体図象の「ヲ」で表現します）と、「ミツ」、「ハニ」の二つ（これは「メ」）は区別されています。もちろん「コノヰツツ」としてセットを構成してはいるものの、扱われ方が違います。目では「見えないもの」と「見える物」（ミツとハニ）の対比のようですけれど、「男」と「女」を意味する「ヲ」と「メ」で区別するところは深遠です。

相図象

「音のない音（φ）」を含めた十種類の子音図象は、使われる位置やその文脈で多様な働きをするはずです。資料3の右側に書いたひと言で済ましてしまうわけにはいきません。言い尽くすことも不可能なので、中途半端ながら青木と平岡の説明に沿って（その順序にも従って）ほんの少しだけ補うことにします。そして彼らによれば大概の場合、基本的な表の意味が逆転した裏面も指す（両義性がある）とのことでした。

φ相の黒点については、ダルマさんの目入れを想像してください。願い事をするときにはダルマの左眼にだけ黒目を描き入れて、願いが叶ったときに右眼にも黒目を入れます。φ相の黒点（瞳？）を加えるのは「はじめ」の表示であって、見えなかった何かを見えるようにしています。見えてきた何かを動かすのは残り九種類の相の役目です。

k相は「つなぐ」ことが基本の縦線です。ヲシテが縦書きにしか記されないことから生まれる当然の働きです。互いに接して上下にある物だけでなく、天と地ほど離れた物でも、物と動作とでもつなぐ役目を果たします。つながれる対象が何であれ、その関係は一本棒が表すとおり「直接的」です。また変化を伴いませんから上から下への「必然」のイメージもあるし、下から上へそのまま「消えていく」ことも示すはずです。

h相は縦線が二本、中心線を避けていますから動きが感じられます。「ひらく」かもしれないし「とじる」かもしれない。左右を分けてみれば「上がる」、「下がる」もあり得ます。「不安定」で「複雑」だから、「生死」を表すこともあるでしょう。

s相は横線一本です。広い平原より木々のしげる山が多い日本列島の人々にとって、一番みごとな横一線は水平線だったしょう。これを見たら素直にすべてを受け入れる気持ちになるはずです。受け入れるは「受け止める」であり、容易に「とめる」に転じて「さえぎる」も含むはずです。だから「否定」にもなりそうです。

ｎ相は、ｓ相とｋ相を組み合わせた形ですから受け止めた何かをつなぐことになって、原因から結果が生まれるような「自然な展開」が思われます。その結果の「成立」を資料3では「なる」と表現しているのでしょう。この場合も両義性があるから裏には「禁止」が隠れています。

ｍ相は―これ以降の相はいっそう複雑な表現になります―、横線の下から縦線が垂れています。受け止めた何かを下（次）へつなぐのだから、それは重要な何かであるはずです。「先祖から受け継ぐ」感じは当然で、何かに直面して「気が引き締まる」もあり得ます。ヲシテ図象での自分の位置は常に下にあると憶えておいてください。

ｙ相は縦線の向きがｍ相の逆ですから意味も逆になるはずです。自分の位置を考慮すると「ヤ（矢）」の意味がはっきりします。横線の弓を境に自分は下にいて矢は自分からはなれて向こうへ飛んでいくからです。「はねる」は降ってきた雨が地面に当たって跳ねるさまを捉えた表現でしょう。頂いた物へのお返しをする、生まれた所へ帰る、も含まれるはずです。

ｔ相を仮名の三文字以内で表そうとしたから「かける」ですけれど、これは「集める」のほうが端的です。この図象はまさに漏斗（じょうご）の断面です。集めるだけでなく「合わせる」、「まとめる」、「流す」もこの図象には相応しいですね。

ｒ相は、ｔ相の逆形だから「ちらす」はぴったりです。ただし分散して消えていくだけではありません。知識が広められれば集団全員の利益になるし、上から来た指示が諸方へ散らされれば実行に結びつくので、そういう意味も表現できるからです。

w相の基本はひし形です。四角形とは違って手を離せばすぐに転がってしまいそうですから変化を暗示していて、太陽や月の運行が容易に想像されます。四季の巡りにも使えるでしょう。元の位置に戻って来たらその一周が完了するのだと考えれば、「おわる」という表現も納得できるというものです。時間経過のほかで使われると、共同体とか、そこでの了解、調和なども暗示できるとのことでした。

助詞の使い方が分かりやすい

一般論が続いてちょっとくたびれたでしょうから、ここでヲシテ図象が助詞の理解を助けるという具体的な例を挙げてみます。まず「私ガ歌う」と「私ハ歌う」を比べます。「ガ」は本来「カ」で表されるので、ここでは「カ」と「ハ」の比較になります。どちらの態図象もウツホですから今までどうしていたかなどはまったく無視して構わないはずです。「カ」の相図象（k）は縦の一本棒でした。ですから私と歌うとの結びつきはごく単純で、側に誰かがいるかいないかも、楽器を奏でるとか旗を振るとかの可能性も考えていない表現で、ただただ「私ガ歌う」ことだけを叙述します。これに対して「ハ」を使いますと、その相図象（h）は二本（複数）の縦棒ですから私以外の誰かの存在（一人でも大勢でも）が意識されます。またその誰かが何をするのか、楽器を鳴らすのか、旗を振るのか、自然にそんな関心が湧き上がってきます。非常に分かりやすい違いです。でも国語の教科書では「ガ」は格助詞で主格がどうこうと書く一方で、「ハ」は副（係）助詞だから指示に云々と説明します。学術的には立派な解説なのでしょうけれど初学者に親切だとは思えません。

次は船が帰港する場合と出航する場合です。「港ニ着く」、「港へ着く」、「沖ニ出る」、「沖へ出る」、どう使ってもよさそうですけれど、あなたが国語の先生だとして「これ、みんな丸ですか？」と質問されたらどう答えますか？　世間でどう使われていようと「港ニ着く」と「沖へ出る」だけが本来の使い方なのです。その理由も明快です。「ニ」は態図象がカセだからいったんは上昇する過程があっても結局は不活発な、冷えた状態に戻ることを意味しているはずです。しかも相図象（n）は十文字ですからすでに成立し終えた状態を示しています。港に着いてそこに留まることを的確に表しています。「へ」は態図象がミツですから(自分の位置である)下のほうから上(この場合は沖)を意識していることが明らかです。そして相図象（h）が「ひらく」を意味する縦棒二本ですから、この組み合わせでは岸から沖の方向へ出航する状況にピッタリです。ここでも教科書にある「どちらも格助詞で、『ニ』は動作の対象、『へ』は動作の方向」なんていう説明は、初心者向きでありません。港も沖も動作の対象だし、帰港する舟から見れば動作の方向にあるのは港です。青木と斯波の本の題名どおり、ヲシテは「助詞のみなもと」なのです（青木純雄・斯波克幸『よみがえる日本語Ⅱ―助詞のみなもと「ヲシテ」』明治書院、二〇一五）。

変則表記

図象に戻ります。基本ヲシテ（文字）のなかにも例外的な表し方をされる図象がいくつかあります。青木たちがいう変体ヲシテではありませんけれど基本形と違うように見えるので、ここでまとめて説明しておきます。「ル（ru）」は、r相にホ態の三角形を重ねるべきです（変体ヲシテとしてならその形もあります）。しかしr相も末広がりの三角形に通じる形なので、単に重ねるだけだと、少なくとも見やすくはありません。そこで通常は三角形の各辺を点に近くなるほど短くしたのです。これは表記の工夫です。「ワ（wa）」は、w相のひし形にウツホ態の円を重ねればよいのですけれど、円の代わりに点なのです。考えてみればひし形と円の重なりも見やすくはありません。そこで円の直径を小さくしていったら、点と区別がつかなくなったのでしょう。「へ（he）」の、h相の二本線もかなり短いですね。「ヲ（wo）」は、ひし形とハニ態の四角形で十分なはずなのに中に黒点があります。点のない変体ヲシテもあるのですけれど、なぜだかそれは「教える」のヲの場合にしか使われません。

「ン（wu）」は明らかに変則的です。ホ態の仲間に入っているのに、どう見てもその図象と結びつきそうにないバツの形（×）を含んでいます。ここで寄り道になりますけれど、現代語のンの発声の特徴を少し考えてみます。例えば「su」で表される音を出すのなら、子音「s」と母音「u」をこの順に発声するだけです。ところが「ン」単独の場合だと母音の「u」を先に出して（だからホ態?）、そのあとへ子音の「n」をくっつけます。ただしンが単独で使われることは稀で、前後に別な音のあるのが普通です。先ず「サン（例えば数字の三）」とするだけで「u」音は消えてしまいました。この「三」に異なる助数詞をつけてみましょう。「三名」のサンは単独の「ン」に近い素直な「サン」でいいけれど、「三色」なると力の抜けた軽い「サン」になって、「三割」の場合は逆に力が加わって「サッン」といえなくもありません。これらの差は声に出して自分の「唇の開け加減」、「舌先に位置」、「口全体の力み具合」を比べてみれば納得がいくと思いますので、いますぐ試みてください。

「三名」の場合だとでは唇が閉じられ、舌先はどこにも接していないでしょう。単独の「ン」にある僅かな力みが残っているからです。「三色」ではその力が抜けてしまっているために唇も（前歯も）軽く開いていて、舌先は上顎にごく軽く接しているはずです。単独の「ン」よりも強い力が加わった「三割」の場合は、唇が微妙に閉じられており、舌先はどこにも着かないように引っ込められています。これらの違いは、どれも次に来る音を出しやすくするための準備にすぎません。言い換えると、ヲシテ語を使っていた人々はこの三者に本質的な違いを感じなかった、もしくはその違いを表記で区別しなかったのでしょう。だからこそひし形にバツ印をつけた例外的な図象（ン）の一種類で済ませたのだと思います（朝鮮半島の人々はこれらを三種類のパッチムで区別します）。寄り道をした理由は、これが「ヲシテ否定論」にも関係するからです。今の国語学では「上代日本語には撥音（ン）がない」というのが常識なのです。これを記憶しておいてください（第2章（2）の「『ン』の出現」まで）。

表敬体

この表現は仮のものです。これが意図するところは、資料5の「モトアケ（フトマニの図）」のような、尊い事柄を表現するときに敬いの気持ちを込めて使われる図象であろうという想像です。池田は『新訂 ミカサフミ・フトマニ―校合と注釈―』で、「『フトマニ』は占いに用いられる文献であるが、その根本の構成の立脚点は全宇宙の成り立ちを表したモトアケ（フトマニの図）の存在にある」と書いています。その当否はさておき、尊い（後世の偽作物だとしてさえ含蓄のある）図として作られたことは否定できません。そう思ってこの図を見ていただくと、基本ヲシテとは違う図象の存在に気づくでしょう。中心に描かれているのは意外にも「ア、ウ、ワ」の三文字なのです（外側との重複を避けるために平仮名にしました）。

一字目と三字目の図象は、フトマニだけでなくホツマツタヱでもそれぞれ「ア」と「ワ」とし

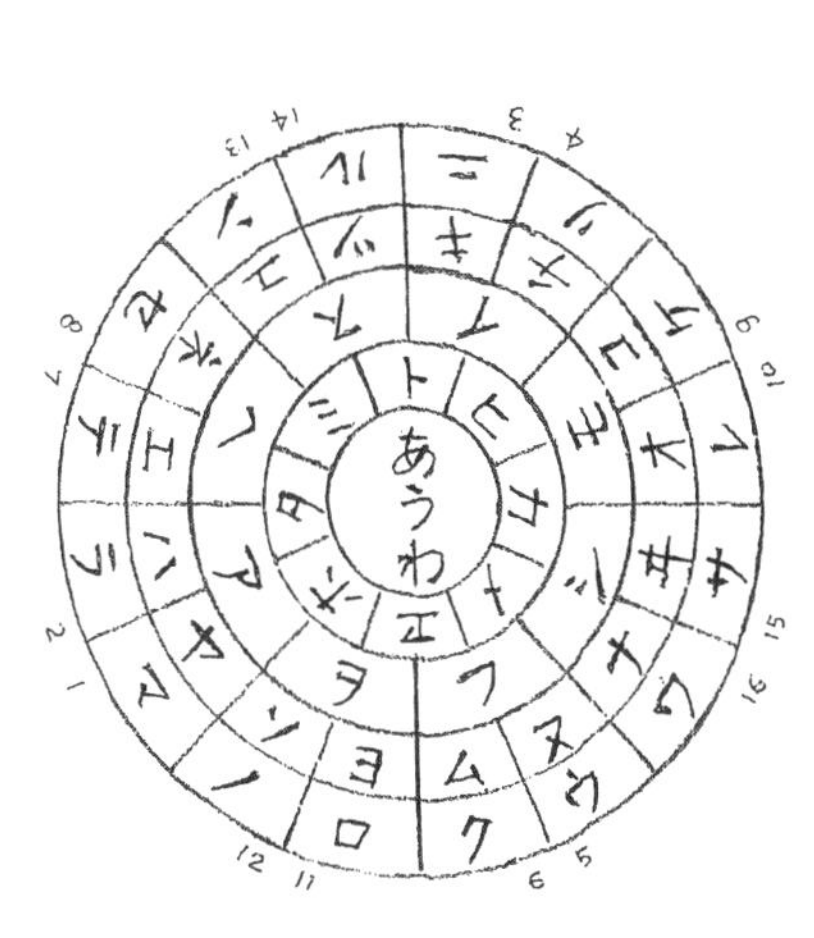

資料５　モトアケ（フトマニの図）をヲシテ文字と仮名文字で

上（ヲシテ文字）の図は『新訂 ミカサフミ・フトマニ』（130頁）から

て使われています。『よみがえる日本語―ことばのみなもと「ヲシテ」』に載っている「全ヲシテ表」や「渦型の変体ヲシテ表」を見れば、どちらも「アメ・ツチ」（一応「天・地」と受け止めましょう）を表すときにだけ使われる、と説明されています。これにはさまれた二字目（ウ）は全ヲシテ表にも載っていないから、モトアケでしか使われていない図象だと思います。「アウワ」は、モトアケについての説明（直前の引用文）にある「全宇宙」の根元、根源、といったくらいの受け取り方で満足しないといけないようです。もう少し確かな意味を知りたいと思ってウェブ情報に頼ろうとしても無駄なことです。フトマニはまだ研究の途中ですから、これ以上に信頼できる情報など載っているはずがありません。他のヲシテ文献も同様で、「完訳ホツマツタヱ」的なタイトルの本は避けて通るのが賢明です。

特別な例

「態図象（五要素）」の「ホ」態の説明で触れた炎のイメージを伴う「小三角形の入ったホ」など、この類の変体ヲシテは非常に多いので詳細は先の「全ヲシテ表」に任せます。そのうえで敢えて二つの文字だけを選んで説明します。「ソロ」として使われるときの「ソ」と「ロ」です。ソのハニ態を貫く横線の上下に点が二つずつ入った図象には、「穀物（特に水田でできる米）を示す」という註がついていました。また、ロのハニ態の正方形に近い形に逆Y字形を重ねてできる左、右、下、三か所の空間に一つずつ点を入れた形には、「穀物（特に畑でできる穀物）」との解説がありました。叶わぬことながら、とりわけ「ソ」の特殊ヲシテが作られた事情を知りたいものです。水稲栽培のはじまりと関係がありそうですから。もちろん「ロ」の特殊体ができた事情にも関心はあります。

数詞

ヲシテ写本では数字を示す図象が、基本ヲシテから区別されています。大概は基本ヲシテの右側にある縦線の下端が右上に跳ねているのです。縦線が中央にしかないとか中ほどで止まっている場合は、その縦線の下端に「跳ね」が付きます。しかしこれは「後世の写本者が読者の便を図るために付け足した印であろう」というのが、ヲシテ研究者たちの見解です。その理由は本来のヲシテ文字が（おそらく原始的な絹布を）「染める」という手段で残されたと信じられる証拠があるからです。上代の読者である支配階級の人たちは幼いころから内容の概略を聞き知っているうえに文脈からもすぐに分かるので、細かい「跳ね」を染め出すことは求められなかっただろうという推理です。

そのことよりも彼らの数字表現を紹介しておきましょう。基本の数字は一から十までで、ヒ、フ、ミ、ヨ、イ、ム、ナ、ヤ、コ、トの基本ヲシテで表されます。あなたもヒィ、フゥ、ミィ、ヨゥ、イツ、ムゥ、ナァ、ヤァ、コォ、トォという数え方には覚えがおありでしょう。これに十桁ごとの数詞が加わります。十はソです。「ミソヒト」文字は短歌の三十一文字のことでした。百はモ、千はチ、万はヨロ（またはヨだけ）です。「ヤオヨロズ（八百万）」の神々は、「ヤモヨロズ」の訛りだと思います。九十九を「ツクモ」と読むのは、「百につく（付く、継ぐ）からだ」と青木・平岡は書いています。十万の表現（マスまたはハカリ）もあるそうですけれどまだ見たことはありません。

（2）三種類のヲシテ文献

ホツマツタヱの再発見

ヲシテ文献を紹介するならまずは『ホツマツタヱ』からでしょう。明治時代になっても例えば愛媛県宇和島の小笠原家のような、一族から神職に就く者を出すような旧家ではヲシテ文献を所持していて、それを個人的に研究していた方々はおられました。しかしこれを日本史上の重要文献だと洞察し、周囲におよび掛けて組織的な研究をはじめたのは松本善之助（一九一九～二〇〇三）が最初なのです。

東京の「自由国民社」という出版会社で編集長を務めていた三十代半ばの松本は、「売れる本を作る」と、「人の心を打つ本を作る」という、多くの場合に相反する編集方針のあいだで迷い抜いた挙句に退社して、個人経営の小さな雑誌社を立ち上げ「盲人に提灯」という冊子レベルの月刊誌を出版しはじめます。彼はそれ以前から東京奥多摩にある臨済宗徳雲院の加藤耕山禅師の下に通っていました。許しを得て托鉢にも出たというから、広い意味でなら仏弟子になっていたことになります。ところがあるきっかけから日本の古神道に目が向くようになりました。古神道とは仏教伝来以前の日本列島の住人に根付いていた信仰だと理解してください。これを松本の変節とみるのは当たらないと思います。なぜなら「観無量寿経（疏）」を大事にする浄土宗や、「妙法蓮華経」を正法とする日蓮宗などと異なって、禅宗の諸派は文字（経典）に頼らずに座禅修行を通した体験を重視するからです。これが「不立文字」と表現される精神です。托鉢に出ているときにたまたま鎮守の社の境内で彼の草履の鼻緒が切れたそうです。ココヨリで即席の修理をしたのでしょう。立ち上がってフト見上げた先に紅梅が咲いているのを見たときに突然自分の心が軽くなった、と松本は書いていました。禅師はきっとそれを喜ばれたことと想像します。

当然その松本は古神道につながりそうな資料を求めるようになっていきます。昭和四十一年（共通紀元（＊）一九六六年）の八月に、彼は神田の古書店街の一軒で『秀真伝』と題されて、「近江国高島郡産所村三尾神社神宝」と添えられている和綴じの本を買い入れました。本文は一頁に八行、一行は十二文字で上の五文字と下の七文字とに分けて筆写されております。その文字は漢字ではなく一種の図形（ヲシテ図象）でしたけれど、片仮名のルビが振られていました（資料6 次頁）。後から分かったことながら、その本文は『ホツマツタヱ』の一部であって、明治天皇（の宮中）へ捧げられた貴重な文献でした。なぜ市中に出ていたかは分かりかねます。偽書とされたせいかもしれないし、敗戦（一九四五）後の混乱のせいかもしれません。本文の前段には、まず正木昇之助と小笠原長弘が連署した「秀真政伝記ヲ奉ル文」があります。続いて正木による「私考」

とヲシテ文字の概説である「神字用格」があり、江戸時代に和邇估容聡（わにこやすとし）（和仁估安聡の別表記です）が写本を作ったときの「自序」がついていました。ルビと「神字用格」のお陰でなんとか図形のように見える本文の文字に取りつくことができた、と松本は『ホツマツタヱ発見物語』で述べています。

資料6　秀真伝の本文例
『ホツマツタヱ発見物語』（226～7頁）から

＊共通紀元

この本で日本国内の出来事を記す場合には元号を使います。しかし国外の場合や国内であっても元号での表記よりも理解しやすいと判断した場合には、共通紀元（多くの場合「共紀」と略します）を用いていきます。共紀で示す数値はいわゆる「西暦(せいれき)」で表す数値と同じなのですけれど、「西暦」という表現は使いたくないのです。「暦法(れきほう)」とは、一年の厳密な長さとか、ある年の元日を決めることによって、例えば春分がその年の何月何日に当たるかなどを割り出す体系のことをいいます。それに対して「紀年法(きねんほう)」は元日ではなく元年を決める約束事で、そのときに使われている暦での一年が経つごとに数を一つ加えていくのです。「いわゆる西暦」はキリストの誕生年を元年とする紀年法であって、暦(れき)ではありません。しかもイエス・キリストとされる人物は「西暦」元年には四歳（以上）になっているのです。計数の根本が崩れています。ただし、この紀年法はキリスト教圏の外にも広まっているし、非公式にせよその年数で記憶されている事柄がたくさんあります。そういう現実を考えると捨ててしまうはもったいないことで、その名を「共通紀元」と変えて（「グレゴリオ太陽暦」と共に）利用する策が実際的でしょう。ローマ字で略すときは共紀を「CE（Common Eraの頭文字）」と書き、共紀前を「BCE」とします。CE元年の前年がBCE一年です。ちなみにイギリス南部の公立高等学校では二十年近く前からこの方法に切り替えたそうで、すでにいくつかの団体がこれに倣っていると聞いています。

和邇估容聡は安永四年（共紀一七七五年）に現存する最古のホツマツタヱを筆写して（これが「和仁估安聡本」）宮中に捧げた江戸時代の人物です。また小笠原長弘は三尾神社に納められていたホツマツタヱを天保の時代（一八三一～四五）に筆写して宇和島にもち帰った小笠原通当（みちまさ）の甥であって、その写本の当時の所有者でした。小笠原一族については『ホツマツタヱ発見物語』の「ホツマツタヘの発見と研究」の項に詳しく書かれています。正木についてはほとんど不明ながらその肩書「左院十二等出仕」から、明治政府が発足した当初で、内閣制度ができる前に作られた官僚組織の一つである「左院」（中央政府の諮問機関）の書記官だったと推測できます。その根拠はこの職種が明治五年八月から同八年まで存在していて、奉呈本の日付が同七年七月であることです。なお奉呈本に含まれていた原文については、以下のように書かれていました。

ホツマツタヘ［ママ］オノブ　（秀真伝を述ぶ）
キツノナトホムシサルアヤ　（東西の名と穂虫去るアヤ）
アメナナヨトコミキノアヤ　（天七代トコミキのアヤ）
ハラミツツシムオビノアヤ　（孕み慎しむ帯のアヤ）

ホツマツタヱの完本

ホツマツタヱが合計四十アヤから成ることは、ホツマツタヱの冒頭に置かれたヲシロワケ（十二代景行天皇）への奉呈文（＊）に書かれています（0—3～4）。

・・・・・　　ホツマツタヱノ
ヨソアヤオ　　アミタテマツリ　　（ヨソは四十。「数詞」の項を見てください）
キミガヨノ　　スエノタメシト　　（前行のオ、オとヲの用法は現代と違います）
ナランカト　　・・・・・

これを知った松本は直ちにホツマツタヱ全巻の探索に取り掛かりました。その苦労については先の『ホツマツタヱ発見物語』の「発見と研究」の項に譲ります。結論だけをいうと、奉呈本発見の翌年（一九六七）に宇和島の小笠原長種の家で、その父親である長武が写した（虫に喰われた）後半の二十四アヤが発見されました（小笠原長武本、前半の十六アヤは後日発見されたようです）。そこでは長弘の研究成果である多くの遺稿も出てきたそうです。さらに分家の長恭の家からは桐箱に入った全四十アヤが探し出されました（小笠原長弘本）。さらに平成四年（一九九二）には滋賀県高島市安曇川（あどがわ）の井保孝夫の家から、和仁估安聡自筆で漢訳のついた全四十アヤの完本が見出されています。これが池田の『定本 ホツマツタヱ』の底本になっているのです。国立公文書館（かつての「内閣文庫」）には小笠原長武が写した別の写本がありますので（内閣文庫本）、今は合計で四種類の完本が存在します。

＊奉呈文から紀貫之へ

ヲシテ文献『ホツマツタヱ』の冒頭の「奉呈文」にこんなウタがありました（0―5〜6）。

イソノハノ　マサコハヨミテ　（ハ、ハニかハマの省略？　マサコ、真砂）
ツクルトモ　ホツマノミチハ
イクヨツキセシ

これを見て「どこか似ているな」と思ったのが、石川五右衛門の辞世の歌です。もっとも歌舞伎『楼門五三桐』（さんもんごさんのきり）では違った扱いをしていますけど、それはまぁいいとします。

石川や　浜の真砂は
尽くるとも　世に盗人の
種は尽きまじ

似ている具合を確かめるために、よくないことを承知で奉呈文のウタを、現代語に暴訳してみました。たぶんこんな感じでしょう。

磯のハの　　真砂はヨミテ　　（ヨミテ、数を読む。「鯖を読む」で使う表現）
尽くるとも　　ホツマの道は　　（ホツマ、和して治める政治？）
いく代尽きせじ

まさかこの類似性に気づいた人はいなかろうとウェブで調べてみたところ、ウィキペディアの「石川五右衛門」の項に、この歌は『古今和歌集』の「仮名序」にある歌の本歌取りかもしれない、と書かれていました。それは有名な「なにはづに咲くやこの花・・・」のあとにある「四つ日には、たとえ歌」として示されている一首です。

わがこひは　　よむともつきじ　　（わが恋は　詠むとも尽きじ）
ありそうみの　　はまのまさごは　　（荒磯海の　浜の真砂は）
よみつくすとも　　（よみ尽くすとも）

何事にも先人がいるのかとガッカリはしましたけれど、本歌取りというなら仮名序の歌がホツマツタヱ奉呈文のウタを取ったのかもしれません。この和歌集は平安時代前期の成立ですから、この時代までは貴族のあいだにヲシテ文献が伝えられていた、という可能性が出てきました。もしそうならヲシテ文献は江戸時代に作られた偽文書だという定説の前提が崩れてしまいます。ヲシテ写本の歴史が江戸時代から一挙に平安時代にまで遡ることになれば、これはチョットした発見ということになるでしょう。

さて後日、池田満の『新訂 ミカサフミ・フトマニ』を使って別のヲシテ文献『フトマニ』の百二十八首の中に「字余り」のウタがあるのかどうか見ていたときに、三十一番目と六十五番目が字余りであることを見つけました。ところがその六十五番で、「アリソウミ」が目に入ったのです。そのすぐそばには「マサコ」もありました。それは「モヤマ」と題する次のようなウタでした（フ—23）。

モヤマトノ　ミチハツキセジ　（モヤマト、ヲシテ規範の完全発揮？）
アリソウミノ　ハマノマサコハ
ヨミツクストモ

仮名序の和歌に驚くほど似ていそうです。これもまた暴訳してみました。

モヤマトの　道は尽きせじ
荒磯海の　浜の真砂は
よみ尽くすとも

仮名序の歌が本歌取りならホツマツタヱの奉呈文ではなく、このフトマニの「モヤマ」から取ったに違いありません。取ったというよりも上の二句だけ挿げ替えたという感じです。仮名序を書いた紀貫之は、フトマニを知っていた（写本を所有して、それを読めた）可能性があります。江戸時代の捏造者が「自分の恋心は歌では詠み尽くせない」なんていう軟弱な一首に惚れ込んで二つの偽書、長いホツマツタヱと複雑なフトマニを作り上げたと反論することは、理屈上はともかく、ずいぶんと苦しそうです。素直に考えれば貫之がヲシテ文献のウタを真似したのです。これならカナリの発見です。何しろその後の日本（文学）の歴史に何らの影響も残していないと無視されていた（江戸時代の捏造物なら当然です）ヲシテ文献と正統な古典である古今和歌集とのつながりが、初めて見えたのですから。

著者の一族

松本の『ホツマツタヱ発見物語』や池田の『ホツマ辞典』によると、前半の一アヤから二十八アヤまでを編纂したのはクシミカタマ（実名はワニヒコ）でした（28―109〜111）。そこから最後の四十アヤまでを書いて十二代スヘラギのヲシロワケ（景行天皇）に捧げたのがヲヲタタネコ（実名はスエトシ）です。この二人はホツマツタヱの記述を信じれば同じ家系に属していて、その先祖をたどると、ヤマタノオロチを退治した（その尾からいわゆるアマノムラクモノツルギ（天叢雲剣）を得た）スサノヲノミコト（素戔嗚尊、ソサノヲ）に行きつくそうです。「それならこの二人もでっち上げだ」と思うことは自由です。しかしその自由を使って、「支流が多く氾濫しやすい川を治水し、川底の砂鉄で鉄剣を作った」、または「在地民を襲う無頼の（八）集団を征伐し、彼らが所持していた剣を手に入れた」と想像することもできるでしょう。ただしムラクモノツルギ（＊）が鉄製であるかどうかは不明です。この剣はよくクサナギノツルギ（草薙剣）と同一の物だとされますけれど、その説には根拠がありません。それから、ヲヲタタネコのように頭に「ヲヲ」のついた人名は他にも多数あってその表記は同一人物についてさえ「オオ」や「オホ」とも書かれています。以下ではそのすべて「ヲヲ」とします。

　ソサノヲがアマテル（アマテラスオオミカミ、天照大神）の弟だ、ということは知られていると思います。しかしアマテルがソサノヲの兄だということはほとんど知られていないはずです。なぜならば日本書紀がソサノヲに、アマテルを姉だといわせているからです。けれどよく読むとアマテルを女神だと明言はしていないのです。日本書紀であいまいなだけでなく、伊勢神宮に奉納される天照大神の装束は男性が身につける物ばかりで、神功皇后の女性用の装束とは明らかに違うという平安時代の記録があるそうです（『ホツマツタヱ発見物語』の「天照大神は男神だった」の項）。もちろん『ホツマツタヱ』は、アマテル（八代目アマカミ。実名はワカヒト）を男性とし記述し、正后ムカツヒメとのあいだに生まれたオシヒトが九代目を継いだオシホミミであると書いています。

　これには後で触れるとして、クシミカタマはソサノヲから数えると七代目であり、ヲヲタタネコは十五代目（クシミカタマの八代あと）になります。この家系は代々ミギノトミ（右の臣）を務めていて、ヒダリノトミ（左の臣）と共に、アマカミ（ヲシテ社会の最高指導者の職名であって後にはスヘラギと変称します）を支える臣下としては最高の（ヒダリノトミに次ぐ）立場にあります。クシミカタマは十二代目（最後に当たる）のアマカミと初代のスヘラギとに仕えたとされているし、ヲヲタタネコは十二代スヘラギのヲシロワケに仕えているので、そのあいだには三百年余りの隔たりがあります。また、ホツマツタヱがこの家系の書物であることにも留意しておいてください。

＊ムラクモとクサナギ

「ムラクモノツルギ」が出現した場面の記述を「オロチ」が酒を飲みだすところから、日本書紀、古事記、ホツマツタヱの順で紹介します。

まずは日本書紀、巻第一の神代上にある本文の末尾近くからです。

及至得酒、頭各一槽飲、醉而睡。時、素戔嗚尊、乃拔所帶十握劒、寸斬其蛇。至尾劒刃少缺、故割裂其尾視之、中有**一劒**、此所謂**草薙劒**也。草薙劒、此云倶娑那伎能都留伎。一書曰「本名天叢雲劒。蓋大蛇所居之上、常有雲氣、故以名歟。至日本武皇子、改名曰草薙劒。」素戔嗚尊曰「是神劒也、吾何敢私以安乎。」乃上獻於天神也。

読み下し文に直す自信はないので大意を書いてみます。酒を得たそれぞれの（大蛇の）頭が、飲んで酔い潰れて眠り込んだ。すると素戔嗚が十握劒（とつかのつるぎ）を抜いて大蛇を斬って尻尾に至ると、なぜか自分の刀の刃が少し欠けた。そこでその尾を切り裂いてみたら中に剣が一本あった。これがいわゆるクサナギノツルギである。ある文書によれば本当の名前はアメノムラクモノツルギだ。大蛇のいる場所の上にはいつも雲が湧いているからこの名がついているのだろう。ヤマトタケルノミコトの時代になってクサナギノツルギと名前が改められた。素戔嗚は「これは神剣だ。私物にはできない」といって天神に献上した。

次は古事記上巻の三で、天照大神と須佐之男命の話のほぼ末尾です。

> 乃毎船垂入己頭飲其酒、於是飲醉留伏寝。爾速須佐之男命、拔其所御佩之十拳劒、切散其蛇者、肥河變血而流。故、切其中尾時、御刀之刄毀、爾思怪以御刀之前、刺割而見者、在**都牟刈之大刀**、故取此大刀、思異物而、白上於天照大御神也。是者**草那藝之太刀**也。那藝二字以音。

これも大意は日本書紀とほぼ同じです。素戔嗚尊が須佐之男命になり、十握劒が十拳劒に、一劒が都牟刈（つむがり）之大刀に、それぞれ変わっているけれど、意味は同じです。ツムガリノタチの意味には見当がつきません。「刃の鋭い」などという解釈もありましたけれど、語感からいえば「頭（剣先）が曲がった」が思い浮かびます。この両書とも大蛇の尾から得たツルギをほとんど説明もなしに、この場面とは関係のなさそうな「草薙剣」名づけるのは不可解です。その後ろめたさが古事記のツムガリノタチとなって、先の曲がった「鎌」のイメージを植えつけようとしたのかもしれません。さらに両書とも、これをすぐに「神剣」と思い込んで天上のアマテルに捧げています。いっそう不思議です。

さて、ホツマツタヱの「ヤクモウチコトツクルアヤ」（9―10～11）を引きましょう。

・・・・・　ヤマタカシラノ
オロチキテ　ヤフネノサケオ　（ヤフネ、八桶？）
ノミヱイテ　ネムルオロチオ　（ヱイテ、酔いて）
ヅダニキル　ハハガヲサキニ　（ヅダ、ヅタヅタに？）
ツルギアリ　ハハムラクモノ　（ムラクモ、群蜘蛛？）
ナニシアフ　・・・・・・

記紀と比べると語数がとても少ないのですけれど、ことば自体が難しいうえに、掛詞が多用されているので一筋縄にはいきません。ヤフネは古事記冒頭の「毎舟」と同じく「八つの舟のように大きな桶」とします。問題は「ハハガヲサキニ」と「ハハムラクモノ」で二回出てくる「ハハ」です。困ったから「日本ヲシテ研究所」のホームページを開いて、「解説文などご案内」を見ることにしました。「6アヤから10アヤまで」の四十二頁から四十四頁を読むと、これは「ひどく悪い、愚かで残忍な」印象を与えることばであることが窺えました。「クモ」は雲ではなく蜘蛛でしょう。上代語には「土蜘蛛（つちぐも）」という表現があって「朝廷に服従しない部族、あるいは卑賤な民」を表します。

生き物のクモは、その生態から「見えにくい巣網を張って獲物を待ち伏せる悪者、卑劣漢」にされやすいのです。そう考えるとこのアヤの題目にある「ヤクモウチ」がよく分かります。これはおそらく「八蜘蛛討ち」でしょう。ソサノヲが退治するのは「悪者」の比喩になるならば蜘蛛でも大蛇でも、何でもよかったのです。「ハハガヲサキ」は悪蛇の尾先であり、悪党の腰の緒（帯）でもいいのだと思います。それならば「ハハムラクモノ　ナニシアフ」は、大悪党がもっていた（ツルギ）とよぶに相応しい、という感じでよさそうです。切れ味の如何にかかわらず悪党の持ち物ですから、これを天上に捧げるなんてことは考えもせずにホツマツタヱの話はここで終わってしまいます。

ミカサフミはホツマツタヱと一対

二番目の『ミカサフミ』について松本は『ホツマツタヱ発見物語』の中で、ホツマツタヱと同時に書きはじめられて揃って当時の天皇（カミ）に捧げられたと書いています。両書が一対であることは、ミカサフミを編纂したヲヲカシマ（実名はクニナヅ）がホツマツタヱの奉呈文の後半を書く一方で、ホツマツタヱを完成させたヲヲタタネコ（スエトシ）がミカサフミの奉呈文の後半分を書いていることを見れば分かります。互いに了解しあい、補完し合っているのです。ただしミギノトミ（右の臣）だったヲヲタタネコの書いたホツマツタヱが「タミ（民）」を意識しているのに対して、ヒダリノトミ（左の臣）だったヲヲカシマが書いたミカサフミは、「カミ」と「タミ」とをつなぐ立場にある「トミ（臣）」を対象にしているようです。

全六十四アヤのうちのまだほんの一部しか見出されていないので断言はできませんけれど、登場する人物の立場を比べればこの想像で間違いなさそうです。例えばホツマツタヱでは立派な指導者であるコモリがミカサフミでは教えを乞う者として登場します。いま見ることのできるのは、「クニナヅガノブ」という題がついた奉呈文と九つのアヤです。これらは全体の後半部分で、前半分はアマテルの代から四代にわたってヒダリノトミを務めたとされるアマノコヤネ（実名はワカヒコ）が書いています。現存の九アヤ目に当たる「ワカウタノアヤ」が発見されたのは、平成二十四年の暮でした。富士山の北側、川口湖畔にある川口浅間神社の御師（神職の一つ）の本庄家からです。頼もしいことに、ヲシテの写本は今でも少しずつ探し出されていて、着実にその数を増やしているのです。

「一対」の話に戻って、ミギノトミとヒダリノトミです。これは中国の官職である右大臣（こちらが上位）、左大臣とは関係がありません（「右に出る者はいない」とか「左遷」はこの中国式の左右観に基づいています）。ミギノトミは「ツルギノトミ」ともいい、ヒダリノトミは別名「カガミノトミ」です。ツルギは剣で、これは警察権の象徴です。カガミは鏡であり鑑でもあって、鑑の第一義は「てほん」、「規範」ですから、社会規範（政治哲学）のようなことを考えればいいと思います。社会規範に関与した（民事裁判所的な働きも？）ヒダリノトミと、警察権（果ては処刑につながる）をもつミギノトミとを一対にして、民を治める組織が成り立っていたことが想像されます。安定した社会を維持するためにはこの両面が必要であることは分かります。

ミクサタカラ（三種神器）

剣と鏡と聞くと、あと玉さえあれば「三種の神器」の実質が揃うと思うでしょう。その想像は適切です。ホツマツタヱ奉呈文の冒頭に、「トホコニヲサム　タミマシテ　アマテルカミノ　ミカガミオ　タシテミグサノ　ミタカラオ」と書かれています（0─1～2）。冒頭の「トホコ」は「ト」と「ホコ」に分かれて、四句目の「ミカガミ」を「足して」、「ミグサノ（三種の）ミタカラ」になると書かれています。「ト」はトコヨクニの「ト」であり、建国者（初代アマカミ）クニトコタチの信念である「トノヲシヱ」を示しているそうです。これは説明が大変だから、「タマ（勾玉）」で具象されているというに止めます。次の「ホコ」は、六代目アマカミ時代に使われはじめた極刑の道具のオノ（斧）が、七代目のイサナギ・イザナミのときに逆矛（サカホコ）に変えられました。そのホコ（後にツルギに変わる）を意味する警察権のことです。「カガミ」が加わってきた経緯を『ホツマ辞典』は、己の姿を映し見ることによってケモノとは違うヒトの自覚を促すために八代目のアマテルが加えた、と解説しています。これらが「八重垣剣（やえかきのつるぎ）」、「八尺瓊勾玉（やさかにのまがりたま）」、「八咫鏡（やたのかがみ）」として形式化されるのは漢字文化の影響を受けた後だという推論は、受け入れてもいいでしょう。

フトマニとモトアケ

残ったヲシテ文献『フトマニ』は、『カクノフミ』という全部で約百アヤある書物の占いに関わる一つのアヤです。フトマニをまとめた人物は、ホツマツタヱの編者でもあるヲヲタタネコです。写本としては、昭和四十年代に松本善之助が発見した滋賀県の野々村家所蔵の（幕末に筆写された）本と、愛媛県の小笠原家で見出された（明治時代初期の）写本の二つがあります。小笠原長武（ながたけ）本には漢字訳がついていますので、意味をつかむことができていたことは自明です。その事情は野々村立蔵（りゅうぞう）本にも当てはまると思われます。そうしますとここでは余談ながら、「＊奉呈文から紀貫之へ」で紹介した古今和歌集「仮名序」とフトマニの関係に誰かが気づいて何らかの仮説を立てるには十分な時間があったはずなのです。それがなされなかったところにヲシテ文献を無視させようとする力の強さを感じました。

モトアケはヲヲタタネコによる冒頭の紹介文の直後に置かれた、占いの基礎にする図の名前です。「表敬体」から再掲した資料5を一瞥するだけで感じられるとおり、濃密な内容（自然哲学だけでなく言語哲学までも含む）が秘められているそうです（青木・斯波『よみがえる日本語Ⅱ―助詞のみなもと「ヲシテ」』）。この図の構成をごく簡単に紹介しましょう。中央には縦書きの表敬体で「アウワ」と書かれていて、これは宇宙の中心を表現しています。その周りを囲む四重の殻（輪）に四十八のカミの名が書き込まれているのですけれど、書き方と順序が複雑です（中央のアウワを平仮名で書いた本当の理由は「カミの名」として使われてはいないからです）。第一（一番内側）の殻では文字（図象）が外向きに書かれ、順序は反時計回りです。始発文字は真上にある「ト」で、次は二つ跳ばした（時計の文字盤の七時半くらいの位置にある）「ホ」です。以下、同じ作法で進めていきますと（五時頃に当たる）「メ」に行きついて、結局「ト、ホ、カ、ミ、ヱ、ヒ、タ、

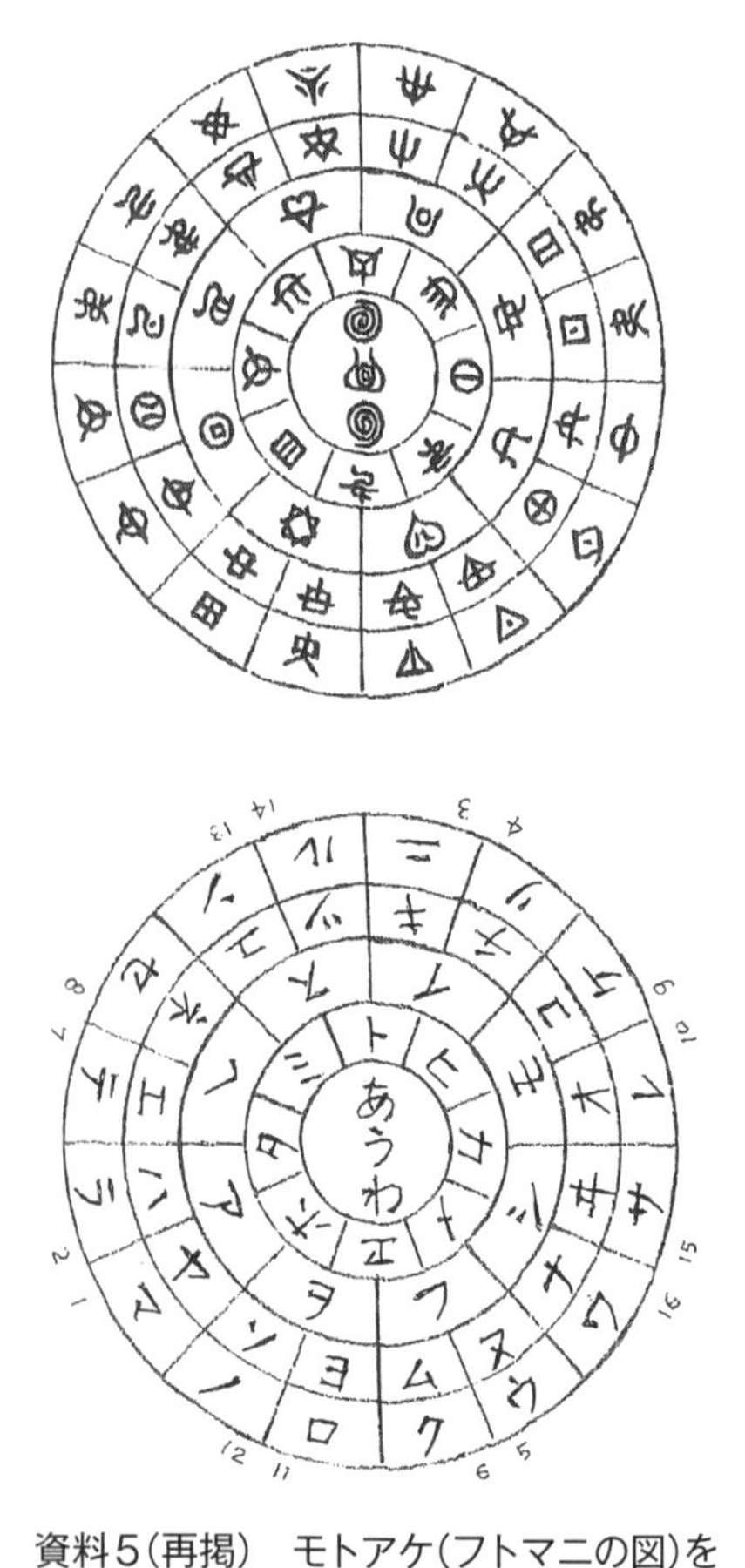

資料5（再掲）　モトアケ（フトマニの図）をヲシテ文字と仮名文字で
仮名文字図の円外の数字は「ミソフカミ」の順番に対応

メ」と読めるはずです（ヒは変体ヲシテです）。仮名文字の図なら見やすいでしょう。

その外にある三つの殻では文字が内向きに書かれていて、これらは時計回りに進みます。第二（内側から二番目）の殻の始発点は左下（八時半）の「ア」で、基本ヲシテでは点で示されるはずの相図象が小さな四角形になっています。次の文字はこれまた二つ跳ばした（〇時半）「イ」で、その相図象（点）は中抜きの白丸になっています。「ヲ」は中点なしでした。この殻は「ア、イ、フ、へ、モ、ヲ、ス、シ」と読めます。この第二殻は、さらに外側に置かれた第三と第四の殻をこの順序で（内枡から外枡へ）、しかも隣り合う二対の二枡にまとめて影響を及ぼします。「ア」はまず（八時）第三殻の「ヤ」と第四殻の「マ」に関って、それからすぐ隣の（八時半）「ハ」と「ラ」とも関ります。第三と第四の殻は対になって存在する三十二（十六対）のカミを表現しているのです。その第一は（八時の）「ヤとマ」、次が（八時半の）「ハとラ」、そして三番目は第二殻の「イ」の影響下にある（〇時半）「キとニ」に跳ぶということになります。このミソフ（三十二）カミの対を規則の順に書けば、ヤマ、ハラ、キニ、チリ、ヌウ、ムク、エテ、ネセ、コケ、オレ、ヨロ、ソノ、ユン、ツル、ヰサ、ナワ、です。

百二十八首のウタ

この図のあとに百二十八の短歌（反歌）形式のウタが続きます。この数は第二殻の文字数（八）

に第三殻と第四殻から成る対の数（十六）を掛けてできる組み合わせの総数です。それぞれのウタには、モトアケ図から規則的に選ばれた三つのカミの名がつけられていて、ウタはその三文字から詠み始められます。その三文字はモトアケ図の読み方どおり、最初の文字は第二殻に置かれた一つのカミの名で、続く二文字は第三と第四の殻で示される二つ（一対）のカミの名です。実際にその名を追ってみましょう。第一のウタの題は「アヤマ」です。第二殻の開始点が「ア」で、ミソフカミの筆頭の対は「ヤマ」だったからです。『新訂 ミカサフミ・フトマニ』のヲシテ文字を（変体形を無視して）片仮名に変えれば、こうなります（フ—7）。

アヤマ

アノヤマノナカウツ
ロヰガアワノスナコホ
シノヱナノムネゾア
ミ　ケ　ル

不思議な書き方ですけれど、五・七・五・七・七に区切って読めば立派な短歌だと分かります。敢えて形を崩すことによって解釈の幅を広げたのではないかと憶測しました。池田によれば、これは宇宙開闢のウタで混沌として虚ろな状況を詠んでいるそうです。二番目はミソフカミの名だけが隣の「ハラ」に変わって「アハラ」です。ここでは、天空の（星として視覚化される）カミと（生を得て一時的に地上に生きる）ヒトとのつながりを教えているそうです（フ―7）。

アハラ
アノハラハカミノア
ツマルヒトノハラシツ
クニワザノミチゾウ
ミ　ケ　ル

三番目のウタは、第二殻は「ア」のままで、第三、第四殻が真上（〇時半）に位置する「イ」の影響下へ跳びます。そのミソフカミの先頭は「キニ」ですから、題は「アキニ」となるはずで、実際そのとおりです（フ―7）。

アキニ
アキニトハコチニヒ

モトケツミノガルツグ
ミココロノハルゾキ
ニ　ケ　ル

このウタの意味を池田は「優れた兄（アマテル）に対して屈折した気持ちをもつ弟（ソサノヲ）が犯したような罪であっても、誠心誠意の対応がなされれば氷解する」というような哲理が込められているのだと解説しています。「コチ（東風）」からは、菅原道真の「東風吹かば　匂い起こせよ　梅の花　主なしとて　春な忘れそ」を連想してください。このウタはそれとは別に、ヤマトゴコロの大元といえる和歌（ヤマトウタ）のはじまりについて、興味を掻き立てます。ウィキペディアの「和歌」の項にはこうありました。

和歌については、素盞嗚尊が以下の歌を詠んだのがはじまりであるという伝説がある。
やくもたつ　いづもやへがき　つまごみに　やへがきつくる　そのやへがきを[1]
現在和歌といえばこの形式、すなわち五七五七七と句を連ね、三十一字でつづる短歌のことを指す。古今和歌集仮名序にもこの歌について、「すさのをのみことよりぞ、みそもじあまりひともじはよみける」と記されていることから、和歌のことを「みそひともじ」（三十一文字）ともいう。

1.『古事記』と『日本書紀』に収録されている。

『古事記』「夜久毛多都伊豆毛夜幣賀岐都麻碁微爾夜幣賀岐都久流曾能夜幣賀岐袁」

『日本書紀』「夜句茂多菟伊弩毛夜覇餓岐菟磨語昧爾夜覇餓枳都倶盧贈廼夜覇餓岐廻」

（以上原文）

これにより、のちに和歌のことを「八雲」（やくも）ともまた「八雲の道」ともいった。

学校でもそう習ったような気がします。しかしホツマツタヱでは違っていました。ソサノヲが「ヤマタノオロチ」で象徴される悪党の集団（八蜘蛛（やくも）、群蜘蛛（むらくも））を平定した話はもっともっと複雑なのです。自分の僻み心とその裏返しの虚栄心に気づいて反省したソサノヲが兄のアマテルに協力した結果、すべての罪が許されて弟は新たにイツモと名づけた国（以前はサホコ）にミヤ（居城？）を建てることも許可されました。このミヤで懐妊したイナタヒメが詠んだウタが、あの「ヤクモタツ」のなのです（9―12〜33）。このウタを素戔嗚の作だと偽ったうえで、これに和歌のはじまりという栄誉を与えたのは記紀の編者たちが談合して作り上げた虚構でしょう。五・七・五・七・七で詠むウタはそのはるか前からトコヨクニの人たちの生活に根付いていました。

しかしこのことよりも大切な点は、ホツマツタヱとフトマニとのあいだの一貫性に関わる問題です。「ヤクモタツ」の歌を素戔嗚が詠んだとしたら、彼がやっと嫁さんを得て有頂天になって彼女に逃げられないように、あるいは奪われないようにと厳重に垣を廻らしたという自己中心な内容になってしまいます。すると彼の反省は少しも表現されなくなって、「もっともっと複雑な」流れの中に出てくるソサノヲの反省の行動と呼応して「アキニ」のウタが暗示する、「ツグミコロノ　ハルゾキニケル」の歌意がまったく通じなくなります。これは記紀の作者らがフトマニのウタまでは精読していなかったか、または理解できなかったことを露にしていて、「ヲシテ偽書説」への立派な反証になります。

六十五番目のウタ

先に「＊奉呈文から紀貫之へ」で取り上げたフトマニの六十五番目のウタにも説明を加えておきます。題は「**モヤマ**」でしたから、第二殻のカミは「アイフヘ**モ**ヲスシ」の五番目のモ（右上二時半）です。ミソフカミは五周目に入って左下（八時）の「ヤマ」に戻ってきました（**フ**―23）。

モ　ヤ　マ

モヤマトノミチハツ
キセジアリソウミノハ

マノマサコハヨミツ
クストモ

これは五・七・六・七・七の字余りのウタになっています。「モヤマト」を「モ」と「ヤマト」に分けて、後者に「倭」や「大和」を当てようとするのは誤りです。「モ」は第二殻に入っていたカミの名で「ヤマ」はミソフカミの一対、そして「ト」は「トコヨクニ」の「ト」だからです。「モヤマト」の四文字でヲシテ社会の道徳規範「相互互恵」の最大限の発揮を表現していると、『新訂 ミカサフミ・フトマニ』には書かれていました。「ト」には、「ミクサタカラ（三種神器）」のところで触れているし、そもそも難しいことなのでこれ以上は立ち入りません。

第2章　ヲシテ文献がニセモノとされる理由

この章ではヲシテ文字やヲシテ文献を否定する人たちの理屈を順番に紹介しながら、それぞれの理屈に対して反論めいたことを述べることにします。ヲシテがニセモノ扱いされる原因は「江戸時代より前の写本がない」というだけではなかったのです。

(1) 漢字文献の威光

「無文字」の呪縛

ヲシテ文献がニセモノだと批判される根本の理由は、これが漢字で書かれていないからです。なぜそれがニセモノの理由になるかといえば、この国には「中国から漢字が伝わる前には独自の文字がなかった」という強い国家伝説があるためです。都市伝説とは違ってその歴史は古く、おそらく『隋書』の写本を持ち帰った初期の遣唐使が帰国した後の奈良時代の直前（＊）、意図的に作られたのではないかと思われます。隋書とは中国の二十四正史の一つで、大体の部分は共通紀元六三六年に完成しています。その中の「列伝第四十六、東夷」の巻には中国本土よりも東に位置する高麗から俀國まで、計六国についての記述があります。「俀國」がいわゆる『魏志倭人伝』に出てくる「倭國」であることには間違いがないようです。倭と俀とは、形こそ似ていますけれど音も意味も違います。倭（い／わ）が「委ねる」とか「従順なさま」を表すのに対して、俀（たい／て）は「弱い」、「弱々しい」という意味で、敢えて卑しめる気持ちが込められている文字なのです。

さて、その俀国の条に次の一文があります。

楽有五絃琴笛、男女多黥臂點面文身、没水捕魚。無文字唯刻木結繩。敬佛法於百濟求得佛經始有文字。知卜筮尤信巫覡。

「水に潜って魚を捕る」のあとに「文字無し」と書かれています。どうもこれが国家伝説の根拠になっているらしいのです。「権威ある中国の正史に倭国には文字がないと書いてある。倭国人は固有の文字をもっていなかったのだ。『ヲシテ文字』があったなどと考える余地はない」という理屈です。仮に遣隋使の誰かがヲシテ文書を中国側の役人に見せたとしても、役人はそれを決して文字で書かれた文書とは認めなかったでしょう。中国人にとって「文字」とはすなわち「漢字」だからです。だからこそ「漢語訳の仏教経典を得てはじめて文字をもつようになった」と書くのです。彼らにとってはシュメール人の「ウルク古拙文字」も、古代エジプトの神聖文字（ヒエログリフ）もくだらない落書きにすぎなかったはずです。その中華思想を日本人があまりにも素直に受け入れている点こそが奇妙です。

しかしウタを何かに記すことはホツマツタヱに何度も出てきます。よく知られた「海幸彦と山幸彦」の話がある「ヒコミコトチオヱルノアヤ」には、ウタを書き込んだ「ウタフタ」を魚捕りの網に付ける話がありました（25―26～27）。

ヲチイワク　キミナウレヒソ　（ヲチ、シホヅヅの老翁。海辺の土地神？）
ハカラント　メナシカタアミ　（メナシカタアミ、隙間もないほど堅く編まれた網）
カモニイレ　**ウタフタ**ツケテ　（カモ、カモフネのことで、本来は櫂でこぐ舟）
キミモノセ　ホアゲトモツナ　（キミ、釣り針を失った山幸彦）
トキハナツ　・・・・・・

ウタそのものは少し後に出てきます（25―32）。

シホヅヅガ　メナシカタアミ
ハルベラヤ　ミチヒノタマハ　（ミチヒノタマ、水を満たす玉と干かす玉）
ハデノカンカゼ　（ハデ、山幸彦がシホヅヅと共にきたクニの名前）

ここで「ウタフタ」を無意識のうちに「ウタフダ」にして、木片の「歌札」と思い込むことは控えましょう。「ウタフタ」は「ウタミ」ともよばれ、「ウタミソメ」という表現があるためです（1―24）。ここではウタフタの材質は不明だとしたうえで、文字で表されたウタを（染め）記したという記述だけを指摘しておきます。何しろ中国の記録者が、「倭国」と知りながら「俀国」と書くような状況ですから、ことさらに未開、野蛮を強調するために「無文字」と書いたように思われます。情報を求める側の心理としては、自国にはない珍しい「存在」に注意を向けるはずです。「存在しない」事物を強調するのは異常です。ここは敢えて「ない」と書かれている点に注意すべきだと思います。

隋の時代の人が意識的に倭国を卑しめた理由は先人が指摘しています。上で引用した隋書の先を知ればなるほどと納得できます。

大業三年、其王多利思北孤遣使朝貢。使者曰聞海西菩薩天子重興佛法故遣朝拜兼沙門數十人來學佛法。其國書曰、日出處天子致書日没處天子無恙云云。帝覽之不悦謂鴻臚卿曰蠻夷書有無禮者勿復以聞。

大切な箇所は最後の二文です。「その国書」とは遣隋使を率いる小野妹子が差し出した、「倭国の王」からの最重要な外交文書です。そこに、「日出處（東方の国の）天子が挨拶文書を日没處（西方の国の）に天子に届けます。ご健勝のことと拝察しうんぬん」と書いてあり、これを鴻臚卿（隋の外務大臣）から見せられた文帝は「悦ばず（怒って）」、蠻夷がもってくる文書で無礼のあるものは二度と聞かせるなと大臣を叱りつけた、という次第です。文帝の怒りの対象はもちろん鴻臚卿ではなく、こんな無礼な文書を寄こした「俀」国の王、多利思北孤です。「無礼」の意味は、「天子」とは天の下で中華の地を治める中国皇帝をおいて他に誰一人いないはずなのに、東方の一蛮族の王が厚かましくも「天子」と名乗っているからです。これが無礼でなくて何が無礼か、というところです。

そしてこの多利思北孤が問題です。この国書の文案の作者は「聖徳太子」だと習った記憶があります。心配になって調べたところ、今の中学校でも基本的には変わっておらずに、聖徳太子を「摂政で、今でいえば総理大臣です」と教えているようでした。それが正しいなら多利思北孤は推古天皇になります。けれどその修飾語に「其王」があるのです。推古天皇は女性ですから、隋の側からなら「其女王」と書くはずでしょう。なぜなら中国で唯一の女性皇帝は唐の則天武后であって、隋の時代までは皆無だからです。であるからこそ邪馬台国の卑弥呼は「女王」と明記されているのです。この例を思えば推古天皇に対しても「其女王」になって然るべきです。

＊奈良時代までの妄想

奈良時代の直前の時代は「飛鳥時代」です。そのスタートは初の女性天皇とされる三十三代推古天皇が即位した年であり、日本史における大スター「聖徳太子」が摂政に就いた年でもあります。この聖徳太子は、天皇家による中央集権体制を確立するうえでの重要な業績を挙げたとされるだけでなく、数々の輝かしい伝説に包まれたお方です。あまりにも立派に伝えられているために昔から虚構説とか不在説が唱えられてきました。いまだにその実体が明らかにされないので、聖徳太子を基準にした「飛鳥時代」という名称には多少の抵抗を感じます。

そう思いながら隋書を見ると「大業三年、其王多利思北孤遣使朝貢」が気になるのです。大業三年は推古十五年に相当する共紀六〇七年で日本側と中国側の記録は一致しています。多利思北孤の「北」が「比」の写し違いということは定説のようですから、この名は「タリシヒコ」と読みましょう。「ヒコ」は「彦」に通じるし、あの隋書の前の部分に「多利思北孤には雞彌(けみ)と号する妻がいて、その後宮には六、七百人の女がいる」と書いているのです。後宮の人数はとにかく妻の存在は否定できないから「其王」

は男性です。古事記や日本書紀で皇太子扱いされている「厩戸皇子(うまやどのおうじ)」とか「豊聰耳(とよさとみみ)」とよばれる大スターは「大王（天皇）」であった可能性がとても高いのです。「女性天皇・推古」の実在に疑問を唱える人は少なくありません。

聖徳太子が登場する百年近く前までは「倭の五王」が順番に権力を奪っていた時代がある、と六朝時代の中国の文献に書いてあります。それらの王が日本書紀に現れるどの天皇に対応するのかは確定されていません。さらに前の時代にさかのぼると中国や朝鮮の文献に倭国のことがまったく出てこない「空白の四世紀（あるいは百年）」とよばれる時代（二六六〜四一三）があります。日本書紀などに書かれていることを裏付けることができないから、物語としてはともかく歴史としては穴の開いた「空白」の時代なのです。しかしこの時代に日本列島の少なくとも中央部分で、統一政権（それを「ヤマト朝廷」とよぶか否かにかかわらず）が成立したらしいのです。ですからその空白を埋めたくなるのが人情で、江上波夫の「騎馬民族征服王朝説」はその一つなのでしょう。

そういう気分でいるときに「小説」という形式ながら、日本列島への人類の到着から日本書紀や万葉集の編纂までの長い期間を一貫した視点で描きだしている長編に出会いました。園田豪の『太安万侶の暗号』全八巻（郁朋社、二〇一〇〜六）です。ほとんどの巻には克明な調査に基づく論考がついていて、最後の論考は『人麻呂の暗号と偽史「日本書紀」』（同、二〇一六）として独立していました。空白を埋めるためにはもちろん、一貫性を出すためにも仮説を立てて話を進めるという冒険は必要です。当然その冒険の表現に不快を感じる方や、江上学説の同工異曲だと軽んじられる方はおられるでしょう。けれど、快適感よりも一貫性のほうに価値があると考えて紹介する次第です。その『人麻呂の暗号と偽史『日本書紀』』の第十八項にある「偽史作成のポイント」の（五）「万世一系を装う、そして暗殺はないことに」につけられた表では、崇峻天皇と舒明天皇のあいだ（通説では推古天皇が入る）に「厩戸（聖徳）天皇」が納まっていて、「聖徳太子が実は天皇だったことを隠す」と書いてありました。とにかく一度は教科書や参考書から名前が消えそうになった「聖徳太子」ですから諸説あるのは当然で、「本当のこと」はまだ分かっていません。

なお、邪馬台国を表記する文字に関しては「邪馬臺國」と「邪馬壹國」との二説があって（「臺」の現代表記が「台」で、「壹」は「一」か「壱」）、文字の形だけでなくその音にも問題があるのです。日本に定着した中国音は呉音、漢音、唐音の三つです。このうち呉音が一番古くて、その次に入ってきたのが漢音だそうです。『旺文社 漢和辞典』の「新版」によれば、「邪」は地名で使われるときは「ヤ」なので、今は問題にしないで済みます。「馬」を「マ」と読むのは唐音だけで、呉音では「メ」でした。「台」を「タイ」と読むのは漢音です。呉音では「ダイ」と読むそうです。だから「邪馬台国」を日本人に馴染まれている呉音で統一すれば「ヤメダイコク」になってしまいます。これを「ヤマタイコク」と読むには一番新しい唐音とその前の漢音をまぜこぜに使うことになりますから、とても不自然です。ちなみに「壱」は呉音では「イチ」、漢音では「イツ」でした。もっとも後漢書では「邪馬臺」に対して、「邪摩惟（ヤバヰ?・）」の訛りだろうという微妙な註が入っています。いずれにしても上代の日本語（文字はなかったとしても）の音を漢字で表した後、それを日本語に戻すと大変な間違いを犯す可能性が高いのです。もちろん外国の史書に書かれていることをすべて真実と思い込むのはもっと危険ですけれど。

神代文字は国学が誘い出した?

「神代文字（じんだいもじ）」とは、漢字が渡来する前から日本にあったとされる文字群のことです。「神代文字、世界の文字」でインターネット検索をすれば、「地球ことば村」が管理しているサイト（http://www.chikyukotobamura.org/muse/wr_column_8.html）が現れて、三十四種の神代文字を「あいうえお順」に並べて紹介しています。冒頭の解説は注意深く書かれているようですし、何より項目すべての書体をスクロールだけで見ることができる点が長所です。しかしヲシテ（二十六番目）は、不適切な「秀真文字・ヲシデ」として紹介されていました。この「冒頭の解説」にある「神代文字の実物とされるものは一般に示されなかったが、江戸時代に入ると尚古思想の高まりにより、神代文字存在説も盛んになり、実物とされるものが紹介されるに至る」という指摘は大切だと思います。

「尚古（しょうこ）」とは古い時代のありようを尊ぶことです。「尚古思想の高まり」は、契沖（けいちゅう）（一六四〇～

一七〇一）が万葉集から源氏物語までくらいの古い和歌を研究した時代に始まる、いわゆる「国学」の勃興を考えればいいのでしょう。そういう時代には「漢字が伝わる前の日本にも文字があった」と強がりを言いたがる軽薄子が出てきやすいものです。それを主張するために創作され、あるいは強引に引っ張り出された由緒不明の「証拠物件」を偽字と見なすことは妥当です。なお、「伊予文字」をよく見ればヲシテ文字と同じです。「伊豫」とは愛媛県の旧称で、そこには第1章（2）の「ホツマツタヱの再発見」で述べた宇和島の小笠原家があります。この土地柄を考えれば、ヲシテ文字が「神字」として知られていても不思議ではありません。

さて数多くいたはずの国学者を数人にまとめようとすると、四大人とよばれる荷田春満、賀茂真淵、本居宣長、平田篤胤を挙げることになります。彼らをひと言ずつで紹介すると、荷田（一六六九〜一七三六）は上代の天皇行事を研究して「復古神道」を提唱し、賀茂（一六九七〜一七六九）は儒教道徳を否定して『歌意考』、『万葉考』、『源氏物語新釈』など多数の著述を残しました。本居（一七三〇〜一八〇一）が『古事記伝』や『源氏物語玉の小櫛』を著したことは有名ですけれど、『馭戒慨言』という、天皇が諸外国を統治すべきとする日本中心主義で貫かれた歴史書の著者であることを学校では教えていません。この発想が後には「尊王攘夷論」、果ては「大東亜共栄圏国策」（一九四〇、「皇紀二六〇〇年」）で使われる「八紘一宇」思想につながったともいわれています。

四大人で残った平田（一七七六～一八四三）は蘭学から学問に入り、コペルニクスの「地動説」やニュートンの「万有引力説」に接して儒教的あるいは仏教的な世界観に不満を募らせていきます。そういうときに賀茂の著作を知って国学にのめり込んでいくのですけれど、それには幕末近くの時期に「西洋文明」を手にしているロシアなど外国の船の頻繁な出没に日本の危機を感じ取ったことも与っているようです。とにかく好奇心が旺盛な質で、愛妻が若くして亡くなるとその喪失感から霊界にも関心を広げて『霊能真柱（たまのみはしら）』などの神話的宇宙論を展開しました。その結果、荷田が提唱した「復古神道」の神学を平田が確立させたという評価が定着したそうです。もっとも倫理学者で日本文化史にも功績のある和辻哲郎は、平田を狂信的な国粋主義に走った「変質者」と評しています（『日本倫理思想史』岩波書店、一九五二）。アジア・太平洋戦争に敗れた直後の倫理学者の言としては、些か大人気ない感じがしないでもありませんけどね。

阿比留文字とハングル

この平田篤胤が遺した優に百を超える著作の一つが『神字日文傳（かんなひぶみのつたえ）（疑字篇を含む）』です。平田もまた中国に漢字がある以上、上代日本にも文字があるはずだと信じていたのでしょう。まず全国の古い文字や文献を集めたうえで、「阿比留（あひる）文字」を正当な日本古来の文字だと見なしたようです。その理由が分かりません。「阿比留」とは平安時代に対馬の支配者になっていた氏族の名前で、この家に伝わっていたから平田が阿比留文字と名づけたのだと思われます。分からないのは、平田が神字日文傳を書いた時期（一八一九）にこの文字で書かれた信用に足る文献（写本）はあったのか、ということです。これが記された護符や石碑の他には、素人の調べながら文字を仮名に変換するための一覧表のような物しかなかったように思われてなりません。阿比留家、そして各地の神社などには草書体のような「阿比留草文字」も伝わっています。しかしこれで書かれた文書となると、やはり実在はしていないようです。「草文字」とくれば漢字を崩して簡略化した「草書体」とか「草仮名」が連想されます。しかしこの草文字を書くのは本字よりもはるかに手間がかかりそうです。

阿比留草文字は措くとして、本字の書体が疑わしいのです。「ハングル」に似すぎているからです。ハングルとは李氏朝鮮の世宗王の時代に創り出された朝鮮語を表記する文字のことで、正式には「訓民正音」（＊）として公布されました。それまでの朝鮮半島で文字といえば漢字しかありません。正式な文書は漢文で書かれ、朝鮮語を文字で残そうとすれば「吏読」という、万葉仮名の表記に似た漢字の使い方をしていたのです。すなわち名詞や動詞に当たる部分は中国語でほぼ同じ意味になる文字を使い、助詞や助動詞に相当する部分には朝鮮語の音に近い漢字を流用したのです。それに対してハングル（以前は「諺文」とよばれていました）はまったく別物で、役割は日本の仮名のような存在ながら漢字を起源とはしない独自の創作書体です。日本の片仮名は漢字の一部分であり、平仮名は漢字を崩した書き方でした。

　とにかくハングルと阿比留文字はよく似ています。両者ともに子音と母音に相当する要素があって、両者を左右または上下に置くことで一つの文字を形成するのです。違いといえばハングルにはもっと構成の複雑な文字があることでしょうか。しかも阿比留文字が日本の中でハングルが使われている朝鮮半島に最も近い、両国交流の中継点に当たる対馬で見つけ出されたという点は意味深長です。平田が見つけたというのですからそれは彼の生年である共紀一七七六年よりも四十年くらいは後のことでしょう。ハングルは、保守派の反対を押し切った世宗明孝大王が敢えて若手の学者に作らせて一四四六年に公布したことが明らかです。何をどう考えても「ハングルは阿比留文字を真似した物だろう」などという想像の入り込む余地はまったくありません。阿比留文字こそがハングルの模造品なのです。

　実用例に乏しい（と思われ）、ハングルからの盗作だと疑われやすい阿比留文字を、なぜ平田ほどの好奇心の強い（だから博学であるはずの）国粋主義者が日本古来の神字と見なしたのか、その一方でなぜヲシテを他の神代文字と一緒くたに偽字としたのか、そこに納得がいきません。奈良にいた律宗の僧侶である溥泉（ふせん）が、ヲシテ文献『カクノフミ』の「トシウチニナスコトノアヤ」を『神嶺山傳記歳中行事紋』として公にしたのが宝暦十四年（一七六四）より前のことですから、平田が知ろうと思えば容易に知ることができたはずなのです。また彼がヲシテにまったく気づかなかったならともかく、神字日文傳の『疑字篇』に「土牘秀真文（はにふたほつまぶみ）」として紹介しています。平田の判断に邪心がなかったとしたら誠に不可思議です。下種（げす）の勘繰りながら、この「邪心」とは「阿比留文字を真正の日本古代文字だとしておけばハングルをその模倣文字だと見下す理屈が成立する。そのためにはヲシテ文字を偽字と決めつけておかねばならない」というような心情のことです。ともかくこの「変質者」のお陰で、江戸時代までしか歴史をたどれない文字のすべてが「神代文字」という偽字に一括分類されるようになってしまったのですから、誠に困ったことです。

＊なぜ「訓民正音」なのか

李朝第四代の国王となった世宗が自国民族に固有な文字を創ろうとしたとき、重臣たちはこぞって反対したそうです。重臣たちは漢字と漢文を自在に操るという技能を活かして代々その地位を保ってきました。朝鮮文字が生まれても漢字や漢文の利用は途絶えるはずはないのですけれど、その絶対的な地位が脅かされることを恐れたのでしょう。朝鮮文字が多用されるようになれば彼らの権威とそれに伴う利得が減るだけではなく、彼らの家系の格が下がっていきます。李氏朝鮮の時代になってからいっそう盛んになった儒教文化（「宗明理学（そうみん）」とよばれます）のもとでは、その点が耐えがたかったのだと思われます。

だから世宗は新しい文字を作るにあたって身分の軽い少壮の学者たちを登用したのです。そしてそれを公布する際には重臣たち（や支配者層の両班たち）に配慮し、これは文字ではなく民衆に朝鮮語の正しい発音を教えるための「記号」であるという意味を込めて「訓民正音」としたのです。事大主義に囚われていた支配階級の人々にとって、文字とは中華の地で創られて使われている漢字以外の何物でもなく、（蒙古、女真、日本などの）夷狄どもが使う模様のような図形は断じて文字とは見なさないのです。だから「小中華」である朝鮮の地に朝鮮語を表す「新しい書体」など受け入れるはずがありません。小中華の李朝でさえこうなのですから、本家中華の隋でヲシテが文字として認められるはずはありませんでした。天子の権威を無視された隋帝が「俀国、無文字」と書かせたのは当然です。

なお事大主義の「事大」とは、「以小事大」から採られたことばで「（小さい者は）大きい者に事えるべきだ」という意味です。また「訓民正音」は「女や子供が使う卑しい文字」という意味で、「諺文（オンモンまたはゲンブン）」とよばれ続けてきました。これが「偉大な文字」の意味になる「ハングル」に変わったのは「韓国併合」（一九一〇）以後のようです。

「和字考」という書物

先ほど尚古思想の高まりと共に神代文字が世の中に現れてきた、と申しました（「神代文字は国学が誘い出した？」）。その時代とは江戸時代の中期、幕府中興の祖といわれる徳川吉宗（八代目）の治世の始まりとほぼ合致する千七百年代です。この「中期」の末に当たる寛政五年（一七九三）に天台寺門宗の総本山である近江園城寺（三井寺）の学僧、敬光顕道が、上・中・下三冊から成る『和字考』という本を著しています。実物は宮内庁書陵部に納まっていますけれど、そのすべてが百七十二コマの写真に撮られているから、「和字考」で検索すれば居ながらにして閲覧できるのです。この書物で敬光は、平安時代に大江匡房や斎部広成の主張した「漢字渡来前の日本には文字がなかった」という杜撰な説が後世に悪影響を及ぼしていると嘆いています。そして『和字考』の第十四コマでは、「地球ことば村」の神代文字に載せられている「中臣文字」と「吉備文字」の二種類を特に取り上げて、「人皇の世になってから（神武以降）勅命で作られたけれど、こんな使い難くて画数の多い字を常に用いていたのではない」と論じてから、「予が讀みしホツマフミ（ヲシテ文字での表記）は全く自然の神字を用いて叓を記せる典籍なり」と書いておりました。これは彼の感想ですから直接ヲシテ文献の真贋判定には影響しないにしても、江戸時代の研究者の意見として貴重です。

　興味深いのは和字考の第百五十五コマにある「良家とかきてムマへと訓む」という書き出しの部分です。ここには「秀真紋の第十九段にはオハシリハムマヤオサケソ（ヲシテ表記）と」という一行が、素戔雄尊（ソサノヲ）がアマテルの機屋に斑駒を投げ込んだ話を挿んだ後にあるのです。池田の『定本　ホツマツタヱ』で十九アヤ（のA）を見ると、アマテルがアマカミの位を継いだことから始まっていて、左の臣にオモイカネ、右の臣にはサクラウチ、暦係はカナサキ、食料係はカダ、と続いた後に、「ヲバシリハ　ムマヤヲサメゾ」の一行がありました（19A―3）。

和字考の文を分かち書きして、これと並べます。

オハシリハ　ムマヤ**オ**サ**け**ソ　（和字考）
をバシリハ　ムマヤ**ヲ**サメゾ　（定本　ホツマツタヱ）

「**オ**」と「**を**」と「**ヲ**」や、濁点の有無は元にした写本の違いが原因でしょう。和字考で目立つ違いは下から二字目の文字です（厳密にいうと「ケ」でもありません）。これが敬光の誤りか否かは不明です。この十二文字を暴訳すれば、「ヲバシリ（の名を賜った乗馬名人）は、『厩治め（の役）』ぞ」となります。

ヲシテ文献は写し継がれてきた

はじめは一種類だったはずのこの十二文字の列が、現在では近江の野々村家の「安聡本」、それから伊豫の小笠原家から出た「長弘本」、「長武本」、「内閣文庫本」、の合計四つの完本に加えて、奈良の溥泉が著した『春日山紀』に残されている二つの逸文、そして最後に「和字考」、この七種類として伝わっていることになります。これらの相違点を詳しく見るために、七種類の文字列をすべて並べてみます。なお、『定本　ホツマツタヱ』では「安聡本」を底本にしていたことを思い出してください（第1章（2）の「ホツマツタヱの完本」）。

オハシリハ　ムマヤオサけソ　（和字考、一七九三年）
オハシリハ　ムマヤオサメソ　（春日山紀、二種類ある一方、一七八〇年頃？）
オハシリハ　ムマヤオサメソ　（春日山紀、二種類ある他方）
オバシリハ　ムマヤヲサメゾ　（長弘本、一八七四年より前？）
オバシリハ　ムマヤヲサメゾ　（長武本、一九〇三年より後？）
オバシリハ　ムマヤヲサメゾ　（内閣文庫本、長武本と同じ頃？）
をバシリハ　ムマヤヲサメゾ　（安聡本、一七七五年）

安聡本の「を」は「ヲ」の中点が横棒になった、青木と平岡によればとりわけ「男」を示す場合の変体図象でした。写本の違いによってこれが「ヲ」や「オ」とも書かれているのは珍しいことではありません。ともあれ和字考が春日山紀を元にしていることは確かです。そしてもしヲシテ文献（とりわけこの十二文字）が、国学が盛んになった頃（例えば本居宣長が『古事記伝』の執筆に関わった一七六四年から一七九八年まで）に捏造されたのだと仮定したら、和字考の引用箇所と安聡本（どちらもこの仮定上の「捏造原本」とほぼ同時代に作られたことになります）とのあいだでの五文字もの不一致があるのはいかにも不自然です。なぜなら少なくとも百二十年以上の年数差がある四つの完本のあいだでは、「オ／を」の僅か一文字しか違っていないのですから。安聡本と春日山紀のあいだにある四文字の不一致は、それぞれが長い長い年月（千年単位？）をかけて写し継がれてきたことを示唆しています。

先の「『和字考』という書物」で敬光は、「ホツマフミ」という表現を使っていました。これがホツマツタヱだけを指すのか、ヲシテ文字で書かれた古文献を総称しているのかは判然としません。ホツマツタヱの多くの箇所に「ホツマフミ」ということばが現れているからです（第3章（2）の「ソエウタと反歌」のヲヲカシマのソエウタなど）。それはともかく、あの場所（第十四コマの8～9行目）ではヲシテ文字に片仮名のルビが振られていましたし、別なところ（第二十コマの6行目）では「穂眞紋」に片仮名のルビ、「オハシリ」の箇所（第百五十五コマの18行目）はルビ無しの「秀真紋」、また第百六十八コマ（4行目）では「秀眞紀」にルビでした。和字考の中で「ホツマフミ」がこれほどに違う漢字で表現されていることは、この一句が漢字を使わずに伝えられてきた証拠でしょう。伝えられてきた別な文字から敬光がその折々に音を頼って漢字へ移した結果だと見なせば納得がいきます。あの「第十四コマ」の書き方を見ればその「別な文字」はヲシテに相違ありません。

（2）アカデミズムの功罪

上代八母音仮説

ヲシテ文献の否定論者が頼る理屈の一つは橋本進吉が唱えた「上代特殊仮名遣（かなづかい）」（ここでは「上代八母音仮説」ともよびます）です。橋本は東京帝国大学文科大学を首席で卒業した「恩賜の銀時計」組で、今なお「わが国の近代的な実証的国語研究の祖」として仰がれています。彼の説によると奈良時代以前の日本人は八種類の母音を使いこなしていたのだそうです。すべての子音についてではないので使われていたことになる音の数は濁音を除くと約六十種類（研究者によって変動します）になります。しかもそこには「ン」が含まれていないというのです。しかし第1章（1）の「アワウタで基本のヲシテ文字を」や「四十八音の並び方」で説明したとおり、ヲシテの基本文字数は四十八個で、その中には「ン」が入っています。否定論者は、「だからヲシテ文献なぞは後世の捏造物に決まっている」と論断します。ですから「上代八母音仮説」を知ることはとても大切なのです。なお「ヲシテ」を扱っているインターネット・サイトの中には、「橋本は古代文字が存在したとするといろいろ疑問があると述べただけで、古代文字が『存在しなかった』ことを論証した訳ではない」という記事がありました。それにもかかわらず、彼の学説に合わない主張はなかなか学界に受け入れられないようです。

日本語の音

現代日本語で使われる基本の音をまとめた「五十音図」は誰もがご存じのはずです。縦に五段で横に十列、合計五十の枡目を作って、右端の列に「あ、い、う、え、お」を縦に入れ、最上段に「あ、か、さ、た、な、は、ま、や、ら、わ」を右から順に書き入れています。残りの、例えば右から二番目の列は「か」の下に「き、く、け、こ」が入ります。あまりにも当たり前のことをいって申し訳ありません。しかし問題はここから始まるのでどうかお許しください。右から八列目の「や」の下の「い」と「え」は、「あ」列の音と同じになるので普通は空欄にします。その左の「わ」列では同じ理由で「う」が空欄です。この列の「ゐ」と「ゑ」は、学校教育では使われないけれど固有名詞の中で使われることもあるから、この二字を残すという方針は一つの見識です。重複する「い」、「え」、「う」を除くと、五十音といっても実際は四十七音しかありませんしかし「ん」という字を使うじゃないか、といってこの五十枡枠から少し離して、「わ」の左に遠慮がちに「ん」を置くのが一般的でしょう。離さずにくっつけても「ん」には「a」の母音が含まれていないし、「か」に対する「き、く、け、こ」のような子音を共有する音がありませんから五十音の仲間外れであることに変わりはありません。

さて、小学校一年生でも「きょう（今日）は、がっこう（学校）にかあ（母）さんと・・・」とは言うでしょう。でも、「きょ」のように小さい「よ」を伴った音は、「くしゃみ」の「しゃ」などと同じく「拗音（ようおん）」とよばれてこの図には入っていません。「が」などの「濁音（だくおん）」も「ぱ」や「ぷ」のような「半濁音」と共にやはり図に載せてもらえません。その次の小さな「っ」には「促音（そくおん）」という名がつけられて、これも図外です。「かあ」は前の「か」の母音を引っ張って伸ばしている「長音（ちょうおん）」で、外来語を片仮名表記するときには「ケーキ」のように「ー（棒引き）」を付けて表すのが一般的です。「ん」には「撥音（はつおん）」の名がつけられていて、拗音、濁音、半濁音、促音、長音、と共に特別扱いされます。その意味では「ん」だけを五十音図につけるのは依怙贔屓（えこひいき）になるのですけれど、この字の形はその図から想像がつかないので「目をつぶって」入れているのでしょう。「ん／ン」に曲者感のあることは第1章（1）の「変則表記」の項で述べたとおりです。

石塚龍磨

現代日本語の基本になる音は四十七音で、依怙贔屓で「ん」を加えても四十八音です。それに対して上代（大まかにいって奈良時代以前）の日本では「ン」を加えずに約六十音あったとするのが「上代八母音仮説」でした。その根拠は古事記、日本書紀、万葉集など上代の日本語を漢字に写し替えている文献を調べると、次の十三音は、使われる場所に応じて規則的に二系統の漢字が当てられていたからだそうです。その音とは、五十音表のイ段にくる「キ、ヒ、ミ」、エ段の「ケ、ヘ、メ」、そしてオ段の「コ、ソ、ト、ノ、モ、ヨ、ロ」の合計十三音（モは古事記の一部でだけ）とするのが一般的です。二種類の「使い分け」ということにはじめに気づいたのが本居宣長で、これを発展させた弟子の石塚龍磨（たつまろ）が『仮字用格奥能山路（かなづかいおくのやまみち）』として公表しました。そこでは先の十三音にほぼ重なる十五音が挙げられていて、その成立時期は本居が『古事記伝』を完成させた年（寛政十年、一七九八）と同じ頃とされています。

橋本進吉

石塚の説を見つけ出して評価したのが東京帝国大学文学部の助手だった橋本進吉で、その発見を「国語仮名遣研究史の一発見―石塚龍磨の仮名遣奥山路について―」として発表しました（一九一七）。そして上代人は万葉仮名の使い方で区別されるような複雑な話しことばをもっていたとするのが先に紹介した「上代特殊仮名遣」です。その基本は母音の「イ、エ、オ」にはそれぞれ甲類と乙類の二種類があるという仮説です。「上代特殊仮名遣」はあくまでも仮説であって、彼自身は甲類・乙類の「音」については明言を避けたと書かれています。出身講座の教授に昇進した橋本から彼の後任と期待されていたのに早世してしまった有坂秀世は、その後「有坂の法則」または「有坂・池上法則」とよばれるようになる規則性を公表しています。「母音調和」というこの規則性は現在、日本語がアルタイ語族であることの証左として評価されていますけれど、当時はこれによって日本語学界の大御所である橋本の仮説「上代特殊仮名遣」の拠り所が増えたと受け止められたようです。

ひとこと言い添えます。「(理)論」とか「法則」と名づけられたモノの価値は、それによって一回り大きなナニカの理解に役立った場合に初めて認められるのです。それまでは、口汚くいうなら「夢想」にすぎません。シュリーマンの夢想は、神話だと思われていた伝説都市トロイヤの破壊を、発掘によって現実の歴史に結びつけたから価値が出てきたのです。湯川秀樹の中間子理論という夢想も中間子を見つけようとする機運を作り、それが見つけられて原子核の理解が進んだからこそノーベル賞に値すると評価されました。アルキメデスの法則が偉大なのは王冠の成分判定の他にも役立つ「浮力」の概念を打ち立てたからです。「一回り大きなナニカ」に至る道筋を誘い出せない夢想には価値がありません。「ムー大陸」に関する夢想は海底探査という手段こそ提示しましたけれど、その結果はどれも否定的でしたから現在ではオカルト的な話題にされるだけの存在になっています。「有坂・池上法則」が上代日本語の発音に近づくうえでの価値ある貢献をしたのなら、「上代特殊仮名遣」の甲類・乙類の違いを素人でも分かるように（肯定的な表現で）説明してほしいものです。

イロハ歌

誰でも知っている「イロハ歌」は、現代の日本語で使う基本文字をすべて一回だけ使った七・五調の八句で作られています（三句目だけは七でなく六音です）。これはのちの「今様（いまよう）」という歌謡形式と（「荒城の月」とも）同じです。イロハ歌を初めて載せた文献（『金光明最勝王経音義（こんこうみょうさいしょうおうきょうおんぎ）』）の成立年（一〇七九）から推察して、これは共紀一千年の前後に作られたと考えられます。

まずは片仮名書きです。

イロハニホヘト　チリヌルヲ
ワカヨタレソ　ツネナラム
ウヰノオクヤマ　ケフコエテ
アサキユメミシ　ヱヒモセス

これを漢字書きの原形で示しましょう。仮名書きがなければ読めませんね。

以呂波耳本へ止　千利奴流乎
和加餘多連曽　津祢那良牟

有為能於久耶万　計不己衣天
阿佐伎喩女美之　恵比毛勢須

この歌の中には、「ン」がありません。この歌の作者については柿本人麻呂や弘法大師の名前が挙げられることもあるのですけれど、それらは俗説として切り捨てられてきました。その理由は、「五十音に満たない平仮名が定着するのは平安時代中期であり、それまでは上代八母音が使われていたはずだ。それなら文字数は約六十でなければいけないから、四十七文字しかないイロハ歌はもっと後の作である」という理屈から成り立っています。確かに人麻呂は奈良時代の人だし弘法大師（七七四〜八三五）は平安初期の人物ですから、そこは結構です。しかし歌の成立を共紀一千年頃だとすると「ン」ないことが不可解になります。次の項で書くように共紀九百年代のはじめには「ン／ん」が使われているからです。イロハ歌に「ン」がないことは、作者にしか分からない何か特別な理由があったのではないかと憶測したくなります。

「ン」の出現

ウィキペディアの「上代日本語」にある「音素配列論」の中では、この上代語が使われていた時代について「漢字音の影響を受けて音便と呼ばれる一連の音韻変化が生じるよりも前の時代であり、撥音（ン）・促音（ッ）は存在せず、拗音（ャ・ュ・ョで表されるような音）や二重母音（ai、au、euなど）[8]も基本的に存在しなかった[9]」と書かれています。きっとこれが学界での常識なのでしょう。しかしこの項の脚注の［8］と［9］には文献がついていませんでした。上代日本語には「ン」がなかったという説を立てた学者の名も、その根拠もはっきりとはしていないようです。ところが、紀貫之が書いた古今和歌集の仮名序には、平仮名の「ん」が二度も出てくるのです。いまに残る古今集の完成は延喜十二年（九一二）頃だから、弘法大師の没後ですけれどまだ百年は経っていないという微妙な時期でした。第1章（2）の「＊奉呈文から紀貫之へ」で引用した歌があった段から三つあとの段の一部を写してみます。

ふんやのやすひではことば、たくみにてそのさまみにおはず、いはゞあき人のよき、ぬをきたらむがごとし。うぢやまのそうきせんはことば、かすかにして、はじめをはりたしかならず。

どちらも人名で、「ふんやのやすひで」は「文屋康秀（ぶんや）」、「うぢやまのそうきせん」は「宇治山の僧喜撰（きせん）」です。仮名序の中ではこれだけなので使用は限定的だったかもしれないけれど、二度も現れるので連綿体（続け字）の読み違いではなさそうです。平安時代の初期には「ん」があったと結論します。

万葉仮名で人麻呂の一首を

「上代八母音仮説」も、上代日本のことばに「ン」がなかったという説も、決して上代日本語を母語とする話者の発音を聴き集めて得られた結果ではありません。万葉集と古事記や日本書紀その他に書かれている万葉仮名（漢字）の音韻を基礎にして音を想像しているのです。これらの古典に出てくる歌謡（短歌と長歌の形式に限らないのでこう書きます）や固有名詞は、ヲシテ文字の真贋などとは関係なく上代日本語で表されていたのです。だから漢文の文章中に取り込むためには—万葉集でも「詞書（ことばがき）」は漢文ですから—その日本語の音を漢字で表現しなくてはなりません。その作業を行ったものは一体どういう人であったのでしょうか。そこへ行く前に柿本朝臣人麻呂の一首（巻一、四十八番）を、万葉集での原文（漢字）と三つの読み方とで示しておきます。

まず原文です。

東野炎立所見而反見為者月西渡

玉葉和歌集（鎌倉時代後期の成立）ではこれを次のように訓んでいます。

あづま野の　けぶりの立てる　所見て　かへり見すれば　月かたぶきぬ

それを江戸時代の中期になって賀茂真淵が改めた読みが、よく知られている次の訓です。

東（ひむがし）の　のにかぎろひの　立つ見えて　かへり見すれば　月かたぶきぬ

宮地伸一によると、平成の時代に伊藤博が次のようによみ直したそうです。

東の　野にはかぎろひ　立つ見えて　かへり見すれば　月西渡（つきにしわた）る

誰の読み取り方にしても、文書で遺されていた漢字原文の表記から三十一文字へ書き直した二次創作物になっているのです。この三つのどれ一つとして作者が口ずさんだ音に合致していないという可能性もあるでしょう。この一首が極端な例であることは認めます。植芝宏が作った「試作 万葉仮名一覧」での用例を見れば、音の判断に「逐語訳」ならぬ「逐字読み」のできるような句を使っていることは分かります。それにもかかわらず、万葉仮名の字面から上代日本語の「音」

を推量するという試みには虚しさしか感じられません。

万葉仮名の作り手

誰が上代日本語を万葉仮名に写しはじめたのか、これを考えるには古代東北アジア史の知識が必要になってきます。前漢の中ごろ、武帝は朝鮮半島の大部分（韓の領域である半島の南東部は除きます）を制圧して、そこを四つの郡に分けました。その一つが楽浪郡で、ピョンヤン付近を郡都とする現在の黄海二道のあたりと思えばよさそうです。これらの四郡の公用文は漢字で書かれていたはずですから、地元出身の官吏たちが漢字や漢文に馴染んでいたことは確実です。後漢が滅ぶと、中国大陸は魏、呉、蜀の三国時代となります。この機会に上代日本の一国家とされる邪馬台国の「卑弥呼（ひみこ）」は華北の覇者である魏へ遣いを出しました（二三八）。

当時の半島南部は言語や風俗の異なる三つの地域（西側から馬韓、弁韓、辰韓）に分かれていました。卑弥呼の使者になった難斗米（なとめ）（または難升米（なしめ））は、帯方郡（楽浪郡よりも南の魏の直轄地）の太守の保護を受けて洛陽に着いたのですから、朝鮮半島の南東岸（マサンとかプサン）に上陸してから帯方郡（郡都の位置は未確定で、ソウルは候補の一つです）に入るまで、敵対勢力の妨害を受けることなく陸行できたのです。これは馬韓（後の百済）と辰韓（後の新羅）に挟まれた弁韓（後の加羅）が倭と親密な関係にあったことを示しています。それなら当然、弁韓を経由して半島からも多くの渡来人が倭国にやってきたでしょう。
ここで、万葉仮名の作り手は朝鮮からの渡来人であった可能性が高いという考えが生まれます。先にハングルが公布される以前の朝鮮では、「吏読（りとう）」という書式体系が作られていたと書きました。大まかにいえば漢字を利用した朝鮮語の表記法です。動詞などの語幹や名詞には漢語を直接使い、活用語尾や日本語の助詞に相当する部分には漢字の音だけを利用して当てはめる表現方法でした。語順は朝鮮語の文法に従っています。自国の言語を漢字だけで表現しているという点で万葉仮名と吏読は同じです。日本語を漢字で表す技能が求められたとき彼らが活躍したと想像するのは自然でしょう。ここでまた一首を引きます。額田王の作とされる歌（巻一、八番）です。

熟田津尓船乗世武登月待者潮毛可奈比沼今者許藝乞菜

寛永版本を基にした佐佐木信綱の『新訓 万葉集』の読みはこうでした。

熟田津（にきたづ）に　船乗せむと　月待てば　潮もかないぬ　今はこぎい出な

前に示した人麻呂の歌の場合と違って、助詞や活用語尾がきちんと漢字で表されています。ただし「今者許藝乞菜」のところは問題です。「今」は表意文字だとして、植芝宏の「試作 万葉仮名一覧」(二〇一一、http://www1.kcn.ne.jp/~uehiro08/contents/kana/1ran.htm) に頼っても、「乞」をどう読むか分かりません。「乞」の音はコツ、キツ、コチで、訓読みにしても表意文字だと考えても納得がいかないのです。吏読に詳しい人なら理解できるのかもしれないと勘繰ってしまいます。これと直接には関係ないことを一つ書き加えると、朝鮮半島のことばにはとても母音が多いことです。子供たちがまず教えられる基本の母音が十種類で、もっと複雑な母音がさらに十一種類あります。二千年近く前でも多いことには変わりなかったでしょう。とにかく日本列島人が区別していない音を、半島からの渡来人が母国語の流儀で区別してしまったという可能性は大いにありそうです。

戻し訳は原作と違う

ウェイリーが英訳した源氏物語『ザ・テイル・オブ・ゲンジ』を、再び日本語に戻すという試みがあります(毬矢・森山『源氏物語 A.ウェイリー版 1~4』左右社、二〇一七~九)。現代日本語訳ですから原文と違うのは当然ながら、訳者たちは原作を知っているので、「ウェイリー版」に忠実であろうとすればするほど原作から離れていくことを悩んだそうです。この場合は読者も知っているからそれが妙味になりますけれど、どちらも原作を知らない場合は喜劇のように悲惨です。漢字で書かれた万葉歌を「原形」に戻そうとした場合の「喜劇」については、人麻呂の短歌の例で納得されたはずです。

上代に「ワランベイネテ」と謡われている箇所（ホツマツタヱ18—23にあります）を、韓半島からの渡来人が書き取った場合を想像してみましょう。「ワランベ」が幼児のことだと知らされた韓人が「童率宿而」と表記することはあり得ます。この表記を見た後代の日本人が「童は居寝て」と読んでもこれまた不思議ではありません。「ン」という日本流の独立音（拍）に馴染んでいない朝鮮語の話者が自分の言語感覚でこの部分を漢字に写したからです。その後にこの吏読モドキの漢字文を見た後世の日本人学者が、上代日本語では「ン」を使っていないと思い込んだとしても仕方のないことです。その思い込みが積極的には否定されないまま「常識」になってしまったという可能性もあると思います。

実は「イネテ」が「居寝て」になるところも問題なのです。ヲシテにはヤ行のyi（ヰ）はあってもワ行のwiはなくて、実際ホツマツタヱのすべての写本がここではφi（イ）を使っていました。しかし寝るという意味で「イネ」とある箇所の「イ」の万葉仮名は、ワ行のwiの発音に当てられる「率、為、謂」、またはφiとwiの両方の音がある「葦、韋」でした。ア行のφiとして使われる「伊、射、以」などは使われていません。「だからホツマツタヱは後世の贋作だ」と「だから上代特殊仮名遣は眉唾だ」は水掛け論です。昭和二十一年まで使われていた「歴史的（旧）仮名遣」

は上代でも支配者層だけの関心事で、庶民は「いぬ（犬、φi nu）」と「ゐど（井戸、wi do）」の「い／ゐ」の区別をしていなかったかもしれません。

「上代特殊仮名遣」について、「試作 万葉仮名一覧」を作った植芝は、「岩波書店日本古典文学大系『万葉集四』の校注の覚え書四によれば、『この発音上の区別は、奈良時代末頃から混乱しはじめ、平安時代になるとその二つが合併して一つになっていき、平安時代の極初期にはコの甲類乙類の区別と、ア行のeとヤ行のyeとの区別を残すだけになった。』とあります」、と書いていました。この覚え書四は、「上代特殊仮名遣」があったとしても、それは日本人の身につくほどには普及せずに消えてしまった「特殊な時期」の仮名遣いだ、と暗示しているように感じられます。

上代八母音仮説の揺らぎ

昭和二十年に亡くなった橋本進吉の呪縛が解かれたのかどうか、昭和五十年（一九七五）には松本克己と森重敏（もりしげ）がそれぞれ独立に、またその翌年には服部四郎が、理屈は異なるものの、共に上代八母音仮説を否定しました。それぞれの理屈を説明することはできませんけれど、ごく大雑把にいえば、松本は「有坂・池上法則」（先の「橋本進吉」の項）で重視されている「同一結合単位」という考えの批判から始めて、甲類・乙類の違いは表記の揺れでしかないという結論へ導いています。この説によると上代日本語はいくらかの変遷を経て五母音に落ち着いたということになるそうです。森重は、上代日本人は感嘆の気持ちをもったときにはア、ウ、オの各母音にイの母音を重ねる傾向があって、それを聞き取った渡来人がイの重なった場合を別音と聞き違えて表記したから、それが「乙類」と認識されただけだ、といっているようです。これは上代五母音説になります。ただし彼の「イ音の加重説」には批判も多いそうです。服部は琉球語からロシア語に至るまで日本語の周辺に位置づけられる諸言語に関心のある学者でした。そのため上代日本語についての発言は少ないけれど、彼は六母音説を唱えていたそうです。

それから四十年以上たった現在の日本語学界では、まだ「上代八母音仮説」が多数派なのかもしれません。けれどもうこの仮説は伝統的な説として尊重されてはいても、盤石の支持を得た「金科玉条」的な地位を失っているはずです。とにかく、甲類・乙類を考慮せずに上代日本語を論ずる者が狂人扱いされる時代は過ぎ去ったと信じます。同時に、五母音で四十八音のヲシテ文献が、その理由だけで贋物視される時代も終わっているのだと思います。

合理性と稀少性

ヲシテ文字が上代の文字であるはずがないという意見の中で、意外に根強いのがこの文字の構成が合理的すぎるという批判です。確かにヲシテ文字は子音要素（相図象）と母音要素（態図象）の整然とした重ね合わせで構成されています。これを合理的だということには同意できます。しかし、だからといって直ちに「上代の日本列島人に創れるはずがない」と決めつけるのは暴論です。あなたの先祖の中に含まれる彼らだって、ホモ・サピエンス（賢いヒト）なのですから。合理的すぎるという批判は次の否定論に直結します。すなわち、「子音と母音をまとめて一つの表音文字とする例は世界的にきわめて稀で他には中世の朝鮮半島で作られたハングルしか存在しない。だから中世以降に現れたはずだ」という議論です。この議論は阿比留文字にこそ通用するけれど、ヲシテ文字に対してはお門違いです。ハングルとは音要素の形もその組み合わせ方もまったく違いますから。二つの要素が組み合わされてできる文字を「稀」だという論者は、漢字をどうみているのでしょうか。確かに漢字は表意文字として分類されていますけれど、音も表しています。一方ヲシテ文字には意味も秘められているのでした（第1章（1）の「ヲシテ図象」）。両者を強引に「表意」と「表音」に峻別する考えには同意できません。

漢字の中で圧倒的な多数を占めるのは、左側（旁）で音を示して右側（偏）が意味を表す形です。漢和辞典の「音訓索引」で例えば「シン」の項を見ると旁に「申」のある漢字は、「伸、呻、神、紳」の四つがありました。左右の役目が逆になったり、それが上下になったりする例もたくさんあります。複雑な例としては「修」を挙げればよろしい。「人に、水（縦棒は水滴）をかけて、ポンと打つ（攴）」の三要素から成り立つ「攸」に、もう一つ、刷毛目（整った感じ）を意味する「彡」が加わっています。これらがいつごろ作られたのかは分かりませんけれど、漢字の型を六つに分けて解説した「六書（りくしょ）」は「周」の時代に編まれていたそうですから、そのときまでにはこれらの漢字ができ上っていたと想像してもいいでしょう。

ハングルを作り出した李朝の若い学者たちは、当然のことながら漢字の成り立ちも参考にしていたはずです。漢字での音と意味の二つの要素を一まとめにするやり方を、子音と母音という二要素の組み合わせとして応用したのです。「修」に相当する複雑な組み合わせの例としては、子音と二つの母音がある文字（例えば과（gwa））に、第二の子音（終音、パッチム）を加えた（관（gwan））が適当かもしれません。それに比べると阿比留文字はごく単純なハングル型の構成でした。阿比留文字がハングルの基になったというような夜郎自大な見解は、もうかなり以前に葬り去られています。

「ヲシテ文字はハングルに似ている」と唱える人が、両者を見比べているとは思えません。似ていないのです。本質的に違っています。相と態の二要素から成り立ってはいるけれど「本質的に違って」いるのは、この二つが並ぶのではなく、重ね合わされている点です。日本人が知っている文字の中では稀なのでしょう。しかし少し考えてみれば「稀」などという表現は、「これまでの（その分野の専門家による）記録が少ない」に近いのです。「その分野の専門家」を「研究者」と言い換えて話を進めます。「研究」とは先行する業績を基礎にして、それを他人にも確かめられる（納得できる）形で発展させたり深化させたりする行為です。そのために、「凡庸な研究者は先行研究の少ない分野には入りたがらない」とか、「研究者は『先行研究群』という常識に囚われている」などといわれるのです。存在が当然視されている彗星や恐竜の化石などでは素人の、それも小・中学生の発見でさえもすぐに学界で認められる一方、「野生に近いトウモロコシの粒の色の出方は『遺伝子の移動』に基づいている」というマクリントックの主張（一九五一）は三十年ほど無視され続けてきました。もっと昔では「ヘモグロビンと似て非なる呼吸色素群が生物界に広く存在する」というマックマンの発見（一八八四〜六）もそうです。ヘモグロビン研究の大御所で当時の生化学界を牛耳っていたホッペ＝ザイラーに嫌われたこの報告は、ケイリンが「シトクローム」として再発見するまで（一九二五、ホッペ＝ザイラーの死後三十年）、完全に黙殺されていました。この二つの主張は共にその時点で「稀」だったからにすぎません。

土器

ヲシテ文字が縄文土器や弥生土器に記された例がないから、この文字は土器が盛んに製作されていた時代にはなかったはずだ、という批判もあります。この批判が正当であるためには当時の土器製作者がヲシテを知っていたことが確実でないといけません。彼らがその文字を知らなければ模様に取り込もうとも考えないでしょうから。土器の作り手は女性か男性かという議論では、縄文時代の華麗な「火焔型土器」については女性だろうとする一方、高さが一メートルに近い深鉢型の土器になるとその重量を考えて男性とする説もあって断定には至りません。しかし識字者か否かということになれば非識字者になる可能性が高いのです。

そもそもヲシテ文字は「書く」ではなく「染める」という作業で記されていました。これは『ホツマツタヱ』が「ミワノトミ　スエトシオソレ　ツツシニテソム」で終わっていることなどから想像されることです（40—98）。—ただ正直にいうと、ヲシテ語で「ソム」と表現される行為がどういうことだったのかはまだ判然としていません。さて、この「スエトシ」は第1章（2）で紹介した「ヲヲタタネコ」の実名で、三輪神社の神主も務める「右の臣（とみ）」でした。また『ミカサフミ』には「キミハミハタオ　ソメマセハ」とあって（ミ—43）、池田の『新訂　ミカサフミ・フトマニ』によれば「キミ」はヲシロワケ（十二代景行天皇）です。「ミハタ」は「尊い文書」と読むのが妥当なうえに、この「ハ」は特殊ヲシテで、青木・平岡の『よみがえる日本語—ことばのみなもと「ヲシテ」』によると、布や衣、文書に使われる形だそうです。クニの最高権力者が自ら貴い文書を「お染に」なっているのです。文字を染めるという操作には訓練がいるでしょうし、とりわけ文章をつづる段階は文字と文法をわきまえた「高貴な方々」にしかできなかったと想像されます。一方、土器の製作に携わるのはこの人たちではなく「普通の庶民」です。庶民は文字を見る機会があったかどうかさえ疑わしいので土器にヲシテ文字がなくて当然だと思います。識字教育を受けているその時間には労働ができませんから、いつでもどこでも貧しい者が文字を知らないことは当たり前です。古代エジプトの平均的な書記官だと、仕事に支障が出ないだけの神聖文字（ヒエログリフ）をすべて覚えるのに十二年かかったそうです（アーダ『ヒエログリフを書こう！』翔泳社、二〇〇〇）。仕事をしながら、だったからでしょうか。

仮名文字

「日本には仮名（片仮名と平仮名）という文字があったのだから、ヲシテ文字の必要などなかった」という意見は大間違いです。仮名のうちでなら先に使われだしたのは片仮名です。仏教の学僧が漢文訳で伝わってきた仏典を音読する際に、「返り点」の外に「ルビ」として楷書体の漢字の一部を使ったことが起源のようです。ということは仏教が広まった後の時代ということになりますから、「聖徳太子」の時代（飛鳥時代）より下った奈良時代と考えるのが妥当でしょう。とにかく片仮名は漢字の渡来よりもずっとあとのことです。ヲシテ文字は（ニセモノでない限り）日本に漢字が伝わる以前に存在していたからこそ、いろいろな疑いをかけられているのです。平仮名は漢字の草書体から独立していった「女手（おんなで）」です。その完成も平安時代に入って（七九四〜）しばらく（百年くらい？）してからのことでしょう。平仮名の前段階に当たる「草仮名」の使用例が現れるのは共紀八百年代ですから、奈良時代にさえ間に合いません。

第3章　ニセモノ説を覆す根拠

否定論をあげつらうだけではヲシテの肯定にはなりませんから、この章では「ニセモノとは思えない」理由を二つの方向から述べていくつもりです。（1）では贋作事件の実例を考察して、現存するヲシテ文献がニセモノである要件に欠けていることを論じます。（2）ではヲシテがホンモノであることの証拠になりそうな事実を提示します。

（1）贋作しても労多くして利益なし

贋作者の心理

ヲシテ文字とそれで記されたヲシテ文献が上代の作品でないとしたら、それはニセモノです。「ニセモノ」といえば「贋札」とか「贋作」で、贋札はことば自体が偽造硬貨を除いていますから話は簡単です。贋作のほうは美術品に限らず何らかの意味で価値のある物のように見せかけた物品のすべてを指します。「贋札」を「贋通貨」に変えれば、自動販売機を誤作動させる偽造硬貨も含めることはできるのですけれど、それは避けました。なぜなら現代の硬貨は低額の種類に限られていますので、機械にも人にも見破られない偽物を作るにはコストがかかりすぎてほとんど利益にならないし、多量生産でコストを著しく下げても一度にたくさん使えば必ず「足」がつきます。そのため贋作者には利益よりも不利益のほうが大きくなるから、あまり問題にされません。ここに贋作者の心理が凝縮されていると思います。それは贋作行為が他人を騙して自分は確実に何らかの利益を得る、というこの一対の結果と不可分だということです。

贋作者が求める利益が金銭なら話は比較的簡単ですけれど、それ以外の利益の場合はなかなか露見しませんし贋作者の特定も困難になってきます。以下に過去のよく知られた例を紹介していきます。「ピルトダウン人化石」事件、「永仁（えいにん）の壺」事件、そして「日本の旧石器捏造」事件、の三つです。

ピルトダウン人化石

ときは共紀一九一〇年頃、人類化石としてはドイツのデュッセルドルフ郊外で発見された（一八五六）「ネアンデルタール人（ホモ・ネアンデルターレンシス）」、オランダの植民地だったジャワ島（現在のインドネシア共和国の中央部に位置する東西に長い島）で見つけられた（一八九一～二）「ジャワ原人（ホモ・エレクトス）」と、そしてフランスの「ラ＝シャペル＝オ＝サン人（ネアンデルタール人と同種）」（一九〇八）しか知られていなかった時代に遡ります。考古学が趣味の英国人弁護士ドーソンは、イギリス人も負けてはいられないと思ったかどうか、ロンドンから南に離れたピルトダウンの採石場で、現代人のものに近い頭骨と類人猿のものに似た下顎の骨を見つけました。そしてその鑑定をロンドンにある大英自然博物館のウッドワードに依頼したのです。ウッドワードの専門は魚類化石でしたけれどこの依頼を承諾して、類人猿から頭部が大きな人類へ進化していく途中の最古級の人類化石だと判定しました。一部にはこの判定を疑問視する人たちもいたのですけれど、進化人類学の分野でサルとヒトとをつなぐ「ミッシング・リンク」ですし、何よりも「進化論のお膝元」イギリスで見つけられた化石ですから疑問の声は抑え込まれて「ピルトダウン人」の鑑定は正式なものとなりました。

しかしその後アフリカでの人類化石の発見が進むと、以前からの「疑問」が頭をもたげて再鑑定に付されます。その結果、頭骨は現代人のもので下顎骨はオランウータンに由来することが判明しました。発見からおよそ四十年後のことです（一九四九）。普通なら二種類の生物の頭骨と下顎骨とを一対の物として組み合わせることはできません。けれどもこの場合にはうまく噛み合うように加工がなされていて、しかもその二つが同一時代のものと思わせるように高度な着色もされていたのです。これは明らかな意図のもとで作られた贋作です。誰が、どんな利益を期待して作ったのでしょうか。

それを推理したのは英国の科学週刊誌「ネイチャー」の記事（一九九六）でした。贋作者は仕事の配分や給料のことで上司のウッドワードに恨みを抱いていた同博物館のヒントン技術員だろうという推理です。その根拠は、彼が化石の変色に詳しかったことと、彼の鞄が博物館の屋根裏で見つかったことです。その鞄の中に「ピルトダウン人」の加工と同じように手を加えられたゾウやカバの化石が入っていて、それらにも「ピルトダウン人」の場合と同様の染色がなされていました。この推理が正しければ偽作の動機は、「サー」の称号をもつ名士のウッドワードに間違った鑑定を下させて、給料の少なさなどで抱いていた「恨み」を晴らすことだったことになります。誤りの指摘が何年先になるかは分からなくても鑑定の間違いは必ず明らかになるはずなので、いずれ彼の家名に傷がつくことは確実です。ヒントンの目的は、自分の標本修理の技術に騙された上司が間違った鑑定を下した段階で、みごと達成されたことになります。彼は満足に値する「利益」を手に入れています。

なお、二〇一六年にイギリスのチームが、この化石の実際の発見者であり詐術に長けたアマチュア学者のドーソンが真犯人だという説を発表しました。三十八品目に及ぶ贋物を作って専門家を騙し続けた人物ですから、あり得ることです。しかし決定的な証拠があっての結論ではないため、

「ヒントン説」を覆したとはいい切れません。そして仮に「ドーソン説」を採っても、彼は化石に名を遺すという名誉を得ていますから、この項の主旨には影響がありません。

永仁の壺

この「事件」の発端は、昭和十八年（一九四三）に愛知県志段味（しだみ）村の道路改修工事現場から完全な形を保った古瀬戸の壺が出土したという中部日本新聞の記事です。その壺の表面には「永仁二年（一二九四）甲午」という制作時期を含んだ銘が大きく刻まれていたので陶磁史上の大発見だと報道されました。今でもこれは「壺」と表現されていますけれど実際は瓶子（へいし）で、俗には「お神酒徳利」とよばれる種類です。もっとも最近の神棚で見られる物よりは大きくて、問題の「実物」を測ってはいませんけれど高さはおよそ二十五センチという感じです。発見当初から、七百年を経た古物なら当然あるはずの経年変化がないので現代の作（すなわち贋作）だとの疑いが出ていました。しかし陶磁研究の第一人者と目されていた文化財専門審議会委員の小山富士夫が強く推薦して国の重要文化財に指定されたのです（一九五九）。また瀬戸系焼き物の陶工であり古窯の研究家としてすでに評判の高かった加藤唐九郎は、この出土品は鎌倉時代の作品だとする解説を自分が編纂した『陶器辞典』に書いていました（一九五四）。

ところが、昭和三十五年（一九六〇）になって読売新聞が「永仁の壺」とされる焼き物は現代の作品ではないかという記事を掲載してから問題が大きくなったのです。科学的な手法による調査が行われてその翌年に重要文化財の指定が解除され、これを推薦した審議会委員の小山は責任を取って辞任しました。またそれ以前（一九五二）にいわゆる「人間国宝」として認定されていた加藤も、その認定を解かれました。この騒ぎの最中に加藤自身が「永仁の壺」は自分が戦前に（一九三七年頃）作ったものだと表明したからです。加藤の長男である嶺雄も自作であると主張していて、本当の作者はいまだに分かっておりません。加藤が用意周到な点は、古窯の調査中に架空の「松留窯（まつどめ）」という窯跡を発見したといって自作の陶片を根津美術館に寄贈していたことです。小山は「壺」の鑑定の際に根津美術館の陶片を基準にしていますから、「壺」が本物とされるのは当たり前のことだったのです。

　では加藤の贋作の動機は何であり、彼はどんな「利益」を手に入れたのか、という問題になります。一つの見方は、「永仁の壺」の重要文化財指定に尽力した小山が「社団法人陶磁協会」の理事であって加藤もその理事でしたから、陶磁協会の理事たちという「同じ穴の狢（むじな）」が結託した儲け仕事だったという想像です。これを裏付けるのは、合計三つあったとされる「永仁の壺」の二つの売買に絡んだ佐藤進三もそこの専務理事であったからです。加藤は一度手に入れた「人間国宝」の名誉を剥奪され、小山は文化財保護委員会委員の地位を失ったけれど、それ以外にはなんの社会的制裁も受けておらず、共に大成功した陶芸家として一生を終えています。—もちろん

「贋作のすゝめ」をしているつもりは微塵もありません。ここではただひたすら、「見返りが投じた資源と労力を上回る仕事にしか手を出さない」という贋作者の心理を納得していただきたいだけです。

もう一つの見方は、文化財保護委員会の面々が実際には鑑識眼に欠けていることを露にさせて、そういうお偉がたを嘲笑するための罠だという解釈です。「芸術家」というよりも「ただの職人」として一段下に見られがちだった陶人の造反ともいえるでしょう。小説『永仁の壷』を書いた村松友視は、この事件を起こすことで「権威ある特定の人々によって物件の価値が決められる陶芸界の権力構造を批判して、陶芸の価値を高めた」と、加藤の行為を支持しています。いずれにしても贋作者は「利益」を得ております。

日本の旧石器捏造

これは日本史の教科書の書き換えにまで及んだ大「捏造」事件でしたから、ここでも取り上げないわけにはいきません。しかしどうやらこれが真相なのだなと教えられた本（竹岡俊樹『考古学崩壊―前期旧石器捏造事件の深層』勉誠出版、二〇一四）を読んでしまうと、これは贋作事件とはいえないし、事件の中心とされがちな人物に焦点を当てても無駄であると感じました。だから簡単に紹介します。日本列島には前期（および中期）旧石器時代は存在しない、というのが戦前までの通説でした。言い換えると日本列島にまで到達した人類はホモ・サピエンス（あなたと同じ現生人類、後期旧石器時代の担い手です）だけで原人に分類される人類は存在しなかった、ということです。なお、「新石器時代」とは「ヒトが農耕を始めたころから金属器を使いだすまでの時期」を指す用語です。

ところで戦後まもなく（一九四九）、行商で暮らしていた相沢忠洋が群馬県の関東ローム層（現在の岩宿遺跡）から黒曜石の打製石器（これは後期旧石器に属します）を見つけます。これが学者同士のあいだでの人間臭い騒動を惹き起こして、日本にも前期旧石器のあることを証明したいという願望を誘いだしました。以前から日本に前期旧石器時代はあると信じていた明治大学の芹沢長介が東北大学に移ってからその首魁となって、前期旧石器の調査研究に本腰を入れて取り組みだしたのです。

そういう機運の中で、少年時代に縄文時代の土器を見つけた経験から考古学に興味をもち、その後は石器の蒐集に転じていた藤村新一が、東北大学の岡村道雄が率いる旧石器発掘調査チームにアマチュアとして参加するようになったそうです。岡村は芹沢の弟子にあたります。藤村は岡村らとの合宿を繰り返すうちに彼らがどんな地層に期待を込めているかを知って、予めそこに自分が集めた石器を埋めておくことを始めました。一九七〇年代からの実地調査に参加すると、当然ながら自分のコレクションであった石器を見つけることができます。その石器は調査チームを大いに喜ばせて、出土した地層から前期旧石器であると判断されてしまったのです。そういうことが度重なって藤村は「神の手をもつ男」して、その「神業」に呆れられながらも尊重されるようになりました。

しかし、フランスに留学して石器の形態学に豊富な経験を積んだ竹岡には、これらの石器があまりにも洗練されていてとても前期旧石器だとは思えません。そこでその見解を論文の形で発表したのですけれど（一九九八）、日本の考古学分野の専門家たちからは完全に無視されてしまいました。彼の前に岡村チームの成果に疑問を呈した小田静夫たちの論文も同様です。けれど以前からこれらの成果に疑問をもっていた人々には勇気を与えたようです。毎日新聞社は特別班を作って夜間の藤村の行動に注目し、とうとう彼が調査地に持参の石器を埋める現場を写真に収めたのです。平成十二年（二〇〇〇）十一月十五日の朝刊一面にその記事と写真が載りました。捏造の発覚です。これはもう二十年ほど前のことですけれど、歴史教科書を作り直すなどの騒ぎを記憶しておられる方は多いでしょう。

この事件の中で情熱を傾け労力を費やして贋作を作り上げた者はいないのです。藤村は前期旧石器の特徴を学んで贋物を作ったのではなく、趣味の石器探しで集めた蒐集物を盗み聞いた場所に埋めただけです。彼は金銭的な見返りを欲していたわけではないし、論文を書いて学位を取ろうという野心とも無縁です。調査現場から藤村の取り出した石片を前期旧石器だと誤認した岡村が旧石器に対する造詣に欠けていたことは否めませんけれど、彼も石器は作っていません。そしてこの岡村もまた具体的な報酬はなにも期待していなかったと思われます。無理に想像するならば、師の芹沢を悦ばす程度のことだったのでしょう。だから、自ら勉強して前期旧石器を贋作するというようなことは一切していません。これが「ピルトダウン人化石」や「永仁の壺」とはっきり違う点です。『竹取物語』でそれぞれニセモノの珍品を持参した五人の公達（きんだち）に、「かぐや姫」を我が物にしたいという強い下心のあったことはご承知のとおりです。

ヲシテを贋作できるか

松本善之助が探し出した『ホツマツタヱ』と『フトマニ』にある二つのウタが、共に『古今和歌集』仮名序に挙げられた和歌（第1章の「＊奉呈文から紀貫之へ」）を真似た贋作だとしたら、『ミカサフミ』をも含めた「ヲシテ文献」は、「ピルトダウン人化石」と同じ類になってしまいます。それならそこにはヒントンかドーソンに対応する書き手がいないといけません。その書き手がいつ頃の人かとなると、国学が盛んになって「神代文字」が日本の各地から姿を現してきた江戸時代の中期以降でしょう。想定されるべきその書き手は長歌に長け、古語を矛盾なく使いこなす学識を備えておらねばなりません。基本ヲシテ四十八文字の図柄だけならなんとか創出できたとしても、『よみがえる日本語―ことばのみなもと「ヲシテ」』に挙げられている二百を超える変体ヲシテを、コンピューターがない時代に青木と平岡が納得できる範囲で一貫した使い方をしてみせるのは大事業です。でも、それを「できないだろう」とは申しません。そういう言い方をすると「四大文明発祥の地から遠く離れた列島の民に独自の文字を創ることなど『できないだろう』」という、ヲシテ否定論者と同じ論法になってしまうからです。

分量でいいますと、ホツマツタヱの完本一つだけで、五・七調の十二文字を一行として一万七百行はあるのです。ミカサフミは八百行以上見つかっているし、五文字と七文字では書かれていないフトマニのウタを五・七調に換算すれば本文と合わせて約四百行になります。合計すれば一万一千九百行相当になりますからヲシテ図象として十四万三千文字に近づきます。四百字詰め原稿用紙で三百五十七枚。これに漢文の訳がついていたり、ヲシテ文字には片仮名のルビが添えてあったりするのです。しかもベートーベンの恐ろしく乱暴な手書き楽譜などと違って、どれも敬意と誠意を込めて書かれています。もちろんホツマツタヱの四つの完本を考えると文字数は三十八万五千字以上増えて、しかも写本の書き手は和仁估安聡と小笠原長弘、小笠原通当の三人になりますから、それぞれ筆致も違えないといけないでしょう。いよいよ大変そうですけれど、しかしそれでも、不可能だとはいいません。

贋作ヲシテ文の例

後の時代になって作られた（だから贋作になる）ヲシテ文の実例がありました。第2章（1）の「『和字考』という書物」で紹介した和書の下巻の中ほど（第百五十三コマと百五十四コマ）に出てくる「生竹章後文（読みは不明ながら「生竹」は「いくたけ」と推測します）」と題されているヲシテ文字群です。ヲシテには仮名でルビが振られています。ここでこれをヲシテ文書といわない理由は、全体が一行に二十文字を含む連続した十四行で構成されていて、その文字の中にはヲシテには含まれない（ルビもない）ミミズのような記号が含まれているからです。このミミズを「一」に置き換えて、ルビに頼らずに（変体仮名が多く、同じヲシテ文字に違う変体仮名が使われているので、素人には頼りにしたくてもし難いのです）片仮名に移し替えてみました。

ヲ**オ**ヒルメノミコトノヲホガミハ一マタノミ（**オ**、ルビは「ほ」。次行**ホ**、ルビは「ハ」）
ナ**ホ**ヒ**ア**マテルミコト一マタノミナ**ホ**アマテ（**ア**、アの簡素な渦巻型変体図象）
ラスヲホガミ一マタノナハ**タ**カマヌシノカミ（**タ**、ルビは「と」）
トイフ一**ア**レマストキヒトモトノアヤシグサ（一本の不思議な植物）
カソノミコトノヒサニナレリ一ソノ**タ**ケタカ（**タ**、ルビは「と」。その丈高くして千尋）
クシテチヒロ一オ**モ**イロトキハニシテサナコ（**モ**、ルビは「と」？）

ツヨシ—ウチカタウツロニシテアマツフクロ（内部は空洞で天の袋がある）
アリ—マタウハツフシシタツフシアリ—コレ（上節と下節がある）
スネガミノサナコクサ—マタアネカシタノノ（ネ、ルビは「め」。ヲシテの「メ」を誤記？）
リグサナリ—モログサノナカノタケグサナレ（とりわけ丈の高い植物であるから）
ハソノナオタケトナツク—カソノミコトウツ（オ、ルビは「を」。「竹」と名づく）
シテあレマストコロニウユ—コノタケガミヲ（あ、アの中点が白四角の変体図象）
ヒツヰテヨヨニタエズ—コレスネギミノシル（ネ、ルビは「め」。ヲシテの「メ」を誤記？）
シグサ—マタヨノノリノシルシグサナリ（不明なルビはほかにも多数あります）

左から三行目のミミズ記号の後ろだけならば、ミミズ記号が五文字の終わりを示していると考えることで、文意は不明ながらヲシテ文末尾の五・七・七の形になりそうです。

コノタケガ　ミヲヒツヰテヨ
ヨニタエズ—　コレスネギミノ
シルシグサ—　マタヨノノリノ
シルシグサナリ

ヲシテ文は五・七調ですけれど初句の五音は枕詞的な例が多くて、そこからあとは七・五調として読んだほうが理解しやすいのです。第1章でホツマツタヱやミカサフミから引用するときに一行目の五音と終末行の七音を「・」で表現したのはそのためです。だからここにミミズを入れる方法には一理があると思いました。しかし他の部分ではこの解釈が通用しません。結局ミミズは読点や句点の役目をしていたのです。そうと分かって読んだこの文の大意は、天照大神が生まれたときに一本の不思議な植物がミコトの膝（脚？）になった。その植物の「丈」がとても高いので、これを「タケ（竹）」と名づけて、後々まで尊ぶことになった、ということでしょう。「ア」以外には変体図象が使われていないこと、「ア」の変体図象の使用法に一貫性がないこと、ヲシテ文字とルビの不一致の多いことなどが気になります。しかしそれらはアマテル（天照大神）を「ヲオヒルメノミコト（大日女尊）」と表現していることに比べれば些細なことです。ヲオヒルメを「大日霊」と書いている例でも女神にしている点は同じでした（この後にある「記紀に潜む陰謀」を見てください）。この一文は日本書紀や古事記で得た知識をヲシテ文字で書いてみただけの贋作とさえよべない児戯の類です。

ここで重要だと思うことは、敬光が『和字考』を書き終えた寛政五年（一七九三）の段階で、ヲシテ文献はごく特別な家にしか残されていなかったけれど、ヲシテ文字だけならある程度の旧家には「神字」として伝えられていたらしい、ということです。それを使えば「生竹章後文」のような「ヲシテ文もどき」は作り得ます。けれど一行に十二文字を五字と七字に分けて書くことがヲシテ文の基本であることは、誰もが無頓着でいられるほどに歴史の彼方へ押しやられていたようです。そういう状況であっても傾奇者(かぶきもの)の奇才があれば「一行十二文字」の五・七調を思いつくという反論が可能であることは否定しません。しかしそれならフトマニのウタが九・十・九・三の四行書きなのはなぜでしょう。これも「奇才」に頼るのならそれはもう万事に「神の御業」をもち出す宗教と同じです。

もちろん『和字考』のヲシテ文字群が存在していても、それが直ちにホツマツタヱなど五・七調のヲシテ文献を（奈良時代より前に作られた）ホンモノだと判断する根拠にはなりません。しかしこの「生竹章後文」は、ヲシテ偽書説を唱える方々が「江戸時代にヲシテ文献を捏造することはもちろん可能だ」といえるほど簡単でなかった、ということを示す実例にはなるでしょう。

贋作は人間の所業

ヲシテ文献を贋作物だと論じるならば、その手間のかかる作業を「悪戯好きの妖精」や「蕗の葉の下に住むコロポックル」の仕業にしてしまうわけにはいきません。誰であるにせよ、偽文書を作り上げたのは損得に敏(さと)い「生身の人間」なのです。「ヲシテ偽書説」に同意できない第一の理由はまさにこの点にあります。宮城県気仙沼市の御崎岬にある、アワ文字で「クヱラツカ」と誤彫された鯨塚のように、文字数が少なければどんな文字を書くにせよ彫るにせよそれほど苦にならないでしょう。特別な報酬（利益）を期待せずにやってのけられます。しかしヲシテ文献の場合は先に書いたとおりです。『日本書紀』や『古事記』はもちろん『古語拾遺』とかその他多くの古典を読んで、これからはここを選びあれからはあそこを採って掛詞を多用した長大な五・七調のストーリーを作らねばなりません。それを恭しい態度がにじみ出るよう和紙に書き込み、こっそり何冊もの和本に綴じて桐の箱に収め、旧家の土蔵かどこかに忍び込んで隠しておかねばならないのです。「クヱラツカ」とは事情が違います。ヲシテ文献を作り上げて恨みを晴らすといっても相手の想像がつきません。現実に松本善之助の再発見があってさえ世の中はほとんど何も変わっていないのです。そんな割の合わない悪戯にはどんな傾奇者の詐欺師（たち）だって手を出さないでしょう。フトマニだけを取り上げても、あの手の込んだ書物を白紙の状態からでっち上げようとする人間ばかりは、何としても考えることができません。

江戸時代にも「オタク」人間はいただろうから、そういう人なら利益も復讐も考えずにひたすら贋ヲシテ文書を作るかもしれない、という議論はあってもいいでしょう。情報の蒐集と整理に必要な個人用コンピューターがない時代にオタク的な生活が可能かどうかは措くとしても、です。しかしこの「オタク仮説」には根本的な問題があります。オタク人間は「無」からの創造ができないからです。彼らの行為は既存の特定の対象に強烈な執着心をもつところから出発します。あるオタクが「ヲシテ文献萌え」したのだと主張するには、ヲシテ文献が「既存」であることを認めなくてはなりません。ヲシテ文献を「無」から捏造した人間として想定するにはオタクより傾奇者のほうがまだ脈があります。けれど和字考の「生竹章後文」で述べたように、それはヲシテ否定論者に期待されているほど簡単ではありませんでした。

記紀に潜む陰謀

古事記と日本書紀が揃ってホツマツタヱと違うことを書いている箇所は数多くあります。その中でどうしても取り上げておきたいと思う点は、アマテル（天照大神）を女性（女神）と示唆していることです。両書ともこれを明確には述べていません。述べずにそれとなく匂わせています。ヲシテ文献のホツマツタヱはアマテルの誕生の場面で「アレマセル　アマテルカミゾ」（4―24）のあとに三度も、（通例では男児であることを意味する）「ミコ」と書いています（4―35、36、37）。ただし最初の「ミコ」までに五・七調の五十一行が挟まっていました。両親であるイサナギとイサナミにとっては長女である「ヒルコヒメ（ワカヒメ）」以来の待ち望んだ後継ぎの誕生ですから、誕生日が元旦だったとか、彼が「卵のような」肌をしていたとか、いろいろ喜ばしいことがある一方、生母のイサナミは長孕み（九十六か月）に疲れてミチツヒメを乳母(うば)にしたとか、その赤子は半年も瞳を開かなかったとかの心配事もあったからです。大切とは思われないから長々しいこの部分の引用は控えます。

日本書紀は「ヒルコヒメ（蛭児）」を、蛭のように骨のないぐにゃぐにゃした子供だったから川に流して捨てたように書いていました。けれどホツマツタヱのヒメは健常です。ただ、丈夫な娘に育つという縁起を担いで、いったん川に流すという儀式がなされました。予め待ち構えていた「カナサキのカミ」夫婦がその子を拾い上げて親代わりになって愛情深く育てるのです。アマテルの誕生後に親元に帰りますから、実際は姉なのに形式上はアマテルの妹とみなされています。ともかくアマテルは男性で、「ウチミヤ（正后）」のムカツヒメ（実名はホノコ）のほかに十二人の妃（ソフキサキ）（＊）が選ばれていたと書かれています。それなのに記紀は天照大神（アマテル）を陰険な形で女神に置き換えたのです。アマテルは疑いもなく人間の男です。

＊アマテルの十二妃

即位したアマテルは富士山麓のハラミのミヤの地（両親であるイサナギとイサナミがここで嫡子の授かることを祈り、その後の孕みの時期を過ごしたことに由来する名前です）に新しい宮を構えました。重臣たちは協議して十二妃を選びます（6—3～7）。その際には宮からの方角やアマテルが治める地方との関係を子細に検討しているのですけれど、それは省いて妃たちの実名だけを決定された順序に従って挙げていきます。モチコ、ハヤコ、ミチコ、コタエ、ホノコ、ハナコ、アキコ、オサコ、アヤコ、アサコ、アヂコ、ソガヒメ（この妃だけ実名が記されていません）、この十二人です。その後アマテルは五番目に決まったホノコの素直さと思いやりの深さを尊んで彼女を正皇后に決めました。するとと「五番目」に当たる席が空いてしまいますので、「欠員補充」の形でナガコが選ばれています（6―8～10）。

アマテルと天照大神

古事記では「上巻の三」に、「根の国」に行くから天照大神に挨拶をしようと素戔嗚が高天原へ登りはじめたところで「即解御髮、纏御美豆羅而」という表現があります。それは素戔嗚の到来の意図を攻撃と誤解した天照大神が、弟と戦う覚悟をして身支度する場面です。現代文に訳すと「そこで髪を解き、ミヅラに束ねて」となりそうです。まず「髪を解き」とあるのでその人物を女性だと速断しがちですけれど、男性だっていつも正装しているとは限りません。普段の「寛いだ髪型」を解いて、「ミヅラ（長髪を左右に分けてこれを耳元で縦に『8の字型』に束ねる髪型）」に威儀を正そうとした可能性はあります。子供の頃に読まれた絵本などでご覧になったでしょう。貴人男性が冠を被るようになるとこれが少年の髪型になりました（有名な聖徳太子の「唐本御影」に描かれている両脇の従者）。しかし上代の事情は分かりません。「纏」は「まとう」と読んで「身につける」の意味で使うのが一般ですけれど、「くくる」、「たばねる」、「しばる」の訓もあります。とにかくここだけの手掛かりで天照大神を女神とは決めるのは無謀です。

日本書紀にも古事記と類似の場面を描いた箇所（巻第一の神代上、第六段）があって、「乃結髪爲髻、縛裳爲袴」と書いてあります。「髻」は古事記にある「御美豆羅」すなわち「ミヅラ」です。「縛裳爲袴」は「裳裾を縛って袴にした」という表現で、現実的とは思えないけれど女装を男装に変えたという感じを伝えようとしています。それに続いて素戔嗚に天照大神を、三度も「姉」とよばせているのです。

> 素戔嗚尊對曰「吾元無黑心。但父母已有嚴勅、將永就乎根國。如不與姉相見、吾何能敢去。是以、跋渉雲霧、遠自來參。不意、阿姉翻起嚴顏。」于時、天照大神復問曰「若然者、將何以明爾之赤心也。」對曰「請與姉共誓。云々」

これが陰険な記述なのです。なぜならホツマツタヱ「ノコシフミサガオタタツアヤ」にこれとそっくりな事件があって、それを一点だけ老獪な手口ですり替えているからです。それはアマカミとなったアマテル（イサナギの第二子で長男）の弟であるソサノヲ（第四子。第三子はツキヨミ）が乱暴狼藉を働いた結果、皇族の身分から刺青までされる罪人（シタタミ）の身に落とされ「ネノクニ」へ追放される場面です（7―40～50）。しかしソサノヲは出立の前に「姉」に別れのことばを告げたいと、彼女がいる「ヤスノミヤ」（琵琶湖の東岸にある野洲？）に向かいます。その行動をミヤへの攻撃と誤解して「姉」は日本書紀にあったような戦闘準備をしたと書かれております。「老獪」なのは、ホツマツタヱがいう「姉」とはアマテルの実の姉（形式的には妹）のワカヒメ（ヒルコヒメ、シタテルヒメ）であって、断じてアマテル（天照大神）ではないのです。しかしソサノヲから見ればワカヒメが「姉」であることに間違いはありません。その姉を兄のアマテルであるかのように（明言はせずに）記述するとは何とも陰険な遣り口ではありませんか。

日本書紀の「一書曰」

ヲシテ不信の方々は、「ホツマツタヱこそ蛭子を生き返らせて素戔嗚の姉だとたばかっている」とおっしゃるかもしれないけれど、日本書紀の「本文」だけを追っていくとその筋書きがとても変なことに気づくでしょう。伊弉諾（いざなぎ）と伊弉冉（いざなみ）とが天下を治める者を産みたいと考えて、先ず生まれたのが「日神」、これを「一書曰（あるふみにいわく）」で天照大神としています。本文に戻ると、両親はその子を「異霊の児」と認めて天を支配させるべく「オノコロ島」に立てた柱を使って天上に行かせました。もしこれが女児ならば、（現代日本でもいまだに女性首相は現れていないのですから）「女（女神）ながら、あまりにも霊力が強いから」というような断りのことばがあるべきです。日本書紀が作られた頃の系図では母親が「誰々の女(むすめ)」と書かれればいい方で、単に「女(おんな)」とされる例も多いのです。ちなみに日本書紀の「一書」や古事記では、天照大神を「伊弉冉が出産した子供」だとはしていません。

さて次に生まれた「月神」も明るかったのでこれも天に送ったとあるけれど、これも「一書曰」では「月夜見尊」となって、「ヨミ」が追加されています。この追加でホツマツタヱにあった「ツキヨミ」を復元したつもりでしょう。しかしアマテルの場合とは違ってツキヨミは「月」とも「黄泉」とも関係なさそうで、イサナギとイサナミが「ツクシにいって産んだ者」くらいの感じなのです(3―18)。ここは「ツキヨミノカミ　ヒニツゲト」と続くのですけれど、そのあたりの意味が分からないので当て推量は慎むことにします。とにかくホツマツタヱでの第三子ツキヨミは特別に忌み嫌われている存在で、のちには食料を司るウケモチのカミであるカダ(第2章(1)の「『和字考という書物』」)を怒りに任せて殺してしまいます(15―26〜28)。さて日本書紀での第三子は「蛭兒」です。三歳になっても立てないからといって舟に乗せて捨てられます。その次に生まれたのが「素戔嗚尊」です。これが我慢することを知らない乱暴者になったので、両親は「宇宙に君臨はさせられない。根の国へ行け」と追放します。これに続く本文を見てみましょう。

於是、素戔嗚尊請曰「吾今奉教、將就根国。故欲暫向高天原、與姉相見而、後永退矣」勅許之。

素戔嗚は「お教えに従って自分は根の国には行くけれど、その前に高天原へ行って姉に面会し、そのあと（根の国へ）退きます」といって、伊弉諾から許可を得たことになっています。オノコロ島の柱の上が「高天原」になっている点には目をつむるとしても、そこは「天」であって、「日神」と「月神」の二神がいるはずです。しかし素戔嗚に「姉」といわせた者を素知らぬ顔で天照大神と決めつけて話を進めているのです。そこをうっかり見落としてしまうのは、素戔嗚の追放命令（本文の第五段）から「根の国」への旅立つ前（本文の第六段）までに十一もの長々した「一書曰」が挟まれているからです。「一書」とは理屈の合わない筋書きを編集者の意図に沿って誘導していく「仕掛け」だと考えたほうがよさそうです。深読みをするならば、古事記は敢えて正体を曝した「一書」の類なのでしょう。虚心に本文を追っていけば記紀の論理は破綻していることが見えてきます。

ヲシテ文献改竄の利益

こんな事情のあることを知ればホツマツタヱを江戸時代の贋作物だと安易に切り捨てるわけにはいきません。古事記と日本書紀こそ、ホツマツタヱを元にしておきながらイサナギとイサナミの長男アマテルを、天照大神という女神に置き換えた改竄文書だという可能性が高まってくるからです。この置き換えをするために数多くの、どこに典拠があるかさえ示さない、「一書曰」ストーリーの創作までして読者の目を眩まさねばならなくなりました。記紀の編纂は天武天皇の勅令に基づくとされています。天武天皇の治世（六七三〜六八六）の直前には、唐に対する大敗北（白村江の戦、六六三）と壬申の乱という大内戦（六七二）がありましたから、この勅令の真意は内外に対する情報操作にあったという定説は妥当だと思います。すなわち、隋の文帝を怒らせた「俀國」と「其王多利思北孤」を天武系勢力とは無関係にするために、唐に対しては国名を「日本」に改めて、そのうえ天皇になっていた厩戸皇子を摂政のままの「聖徳太子」にとどめておいて、その空白を架空の女性天皇「推古」で埋めたのです。しかしそれでは男系男子とされてきた皇位継承の伝統に反しますから、国内対策として過去の偉大な指導者だと認められているアマテル（天照大神）を女神と偽り、これを前例に据えて人心を納得させようとしたという次第です。日本書紀などを贋作と見なすならば、贋作者の意図も、それが得た「利益」も判然としてきます。園田豪の小説『太安万侶の暗号』では、この天武天皇を中国北魏王家の末裔だとしていました。首謀者の家系を異国しておけば偽書を作る理由がいっそう自然に見えることは確かです。もちろん贋作である日本書紀を正史だとしたい天武系勢力にとって、それ以前の歴史を記したヲシテ文献が残っていることは致命的です。だからその多くは燃やされてしまったことでしょう。そういう背景の中で、天武系勢力に服従を強いられた側が秘かに写本を残したのだろうと思います。焚書事件の折には必ずそういう抵抗が行われていますから。

(2) 紀貫之の手元にあった(はず)

古今和歌集の仮名序

こういう事実を知ってヲシテ文献に想いを回らしていると、『ホツマツタヱ』を江戸時代の贋作だとする定説は力を失って、『古事記』や『日本書紀』のほうこそがホツマツタヱを書き換えた偽書だという松本善之助らの主張に強い説得力がでてきます。そうなると第1章(2)の「*奉呈文から紀貫之へ」で触れた、古今和歌集の仮名序の一首が『フトマニ』に載っていたウタとそっくりだという事実を放置しておくわけにはまいりません。「わがこひは」と「モヤマトノ」を比べたあの箇所まで戻らせてください。

古今和歌集の仮名序では和歌を六種類の型に分類して、それぞれに例となる一首を挙げていますす。そこで「比喩の歌」として使われていたのが「わが恋は」の歌で、これが偶然に気づいたフトマニの「モヤマ」のウタと形がそっくりだったのです(ホツマツタヱの奉呈文にあるウタとも似ていました)。当然の心理として仮名序のほかの歌に対してもヲシテ文献に類似のウタがあるのではないか、という期待が生まれます。しかしそれらがどういう形で似ているかについてはまったく予想がつきません。そこでまず例として挙げられている六種（むくさ）の歌を写し取りました。

ひとつにはそへ歌
なにはづにさくやこのはなふゆごもりいまははるべとさくやこのはな
ふたつにはかぞへ歌（――なぜこれが「かぞへ歌」なのでしょう?）
さくはなに思ひつくみのあぢきなさみにいたづきのいるもしらずて
みつにはなずらへ歌
きみにけさあしたのしものおきていなばこひしきごとにきえやわたらむ
よつにはたとへ歌
わがこひはよむともつきじありそうみのはまのまさごはよみつくすとも
いつゝにはたゞこと歌
いつはりのなきよなりせばいかばかり人のことのはうれしからまし
むつにはいはひ歌
このとのはむべもとみけりさきくさのみつばよつばにとのづくりせり

新資料に出会う

この中に「ありそうみ」に相当する特徴のあることばがあるだろうかと探してみますと、最後の歌にある「みつばよつば」が目に留まりました。これは「三つ葉四つ葉」でしょう。まさかシロツメ草（クローバー）のことではあるまいと思いつつ、これを「フトマニ」と組み合わせてウェブ検索したところ「フトマニ【太占・太兆】」というサイトがヒットして、その見出しの短い説明の末尾に「…この殿は　むべも富けり　三枝（さきくさ）の　三葉四葉に　殿造りせり』↓フトマニ97　スヤマ」と書いてありました。ここを開いてみるとその頁の下のほうに次のようなことが記されていたのです。

■大変に興味深いのは、古今和歌集の序で歌の種を説明する六つの例歌のうち、四歌はフトマニ中の歌に非常に近似している点である。しかも四つともフトマニの「＊ヤマ」の歌に当る。
『咲く花に思ひつく身のあぢきなさ身にいたつきのいるも知らずて』↓フトマニ33 フヤマ
『我が恋はよむとも盡きじ荒磯海の浜の真砂はよみ盡くすとも』↓フトマニ65 モヤマ
『いつわりの無き世なりせばいかばかり人の言の葉嬉しからまし』↓フトマニ81 ヲヤマ
『この殿はむべも富けり三枝（サキクサ）の三葉四葉に殿造りせり』↓フトマニ97 スヤマ
この古今集の例歌の起源・素性について何かご存知の方が居られましたら、何卒お知らせ下さいませ。

似ているのは一首だけではありませんでした。四首もあって、もちろんその中には「モヤマ」のウタ（第1章（2）の「六十五番目のウタ」）もちゃんと入っているのです。このサイトは「ほつまつたゑ　解読ガイド（https://gejirin.com/）」にある「ふとまに　解読ガイド」が入り口でした。サイトの作者にはこの場を借りて深く感謝します。さてこの四つの例歌を平仮名書きで、それに対応するフトマニのウタは片仮名の一行書きにして、並べてみます。

さくはなに　おもひつくみの　あぢきなさ　みにいたづきの　いるもしらずて（古今例歌一）
フノヤマニ　オモヒツクミノ　トリヱナミ　ミニイタツキノ　イルモシラズテ（三三番）
わがこひは　よむともつきじ　ありそうみの　はまのまさごは　よみつくすとも（古今例歌四）
モヤマトノ　ミチハツキセジ　アリソウミノ　ハマノマサコハ　ヨミツクストモ（六五番）
いつはりの　なきよなりせば　いかばかり　ひとのことのは　うれしからまし（古今例歌五）
ヲヤマトノ　ミチハスナオニ　イツワラテ　ヒトノコトノハ　ニヱニユクナリ（八一番）

このとのは　むべもとみけり　さきくさの　みつばよつばに　とのづくりせり（古今例歌六）
スノヤマハ　ムヘモトミケリ　サチクサハ　ミツバヨツバノ　トノツクリセン（九七番）

三番目の「いつはりの」と「ヲヤマトノ」は、一見すると第四句の「ひとのことのは」しか同じでないように見えますけれど、仮名序の「いつはりの　なき」とフトマニの「イツワラテ（デ）」は同意です。また池田の『新訂　ミカサフミ・フトマニ』によれば、ヲシテの「ニヱ」は「和やかな」「笑み」の意味だそうですから、その末句は「うれしからまし」と同義だといっても構わないでしょう。もっとも後世（藤原定家）の本歌取りの原則からいえば、この例だけが本歌取りの作法に合っていて、残り三首は盗作といってもいい模倣歌です。

ヲシテ文献は平安時代に存在していた

これらの対をよく見ると素人にさえ、仮名序の例歌からはことばを弄んでいるだけという空疎な感じが伝わってきます。フトマニのウタは第一句をモトアケ図（第1章（2）の資料5 再掲）の内側（第二の殻）の一文字とその外にある（第三・四殻）の二文字を続けた三文字から始めなければならないし（＊）、占いに使うに足る含みのある内容でなければなりません。そんな場面で正岡子規から「あんな意気地のない」と評される歌を真似て贋作するでしょうか。百二十八首も作らねばならないフトマニのウタの中で、江戸時代の贋作者がその中の四つの場合にだけ、仮名序の僅か六首の中から集中的に模倣したとする説明は不自然にすぎます。

ヲシテ文献ニセモノ説を主張する限り、その贋作者の立場も考慮しなければ無責任です。その人物は偽字であるヲシテ文字が実際に使われていたのだという「ニセの証拠」さえ作ればよいのです。面倒きわまるこのフトマニまで捏造する必要はまったくありません。何しろすでに十万字以上あるホツマツタヱを作り上げて、ミカサフミの断章までも作っているのですから。「仮名序」に戻ると、「なにはづに」の一首を除けば五首のうちの四首までがフトマニのウタと酷似していました。「模倣が行われたこと」は確かです。フトマニの作者に真似する積極的な動機がない以上、貫之が模倣した可能性しか残りません。彼の身辺にはフトマニがあったのです。そう考えればフトマニだけでなくミカサフミもホツマツタヱも然るべき家には平安時代まで秘かに伝えられ、読まれ、理解されていた、という推測には高い蓋然性が出てきます。

＊三文字の例外

第一文字のあとにモトアケ図とは無関係な一字が入る例は数多くあります。「三文字」とは単独のカミ（一字）の名と一対のカミの名（二字）の組み合わせでしたから、これは例外としません。そこに二文字入る例外が一つだけあって、それは「ヲエテ」の第一句が「ヲサメエテ」となった八七番です。文字が異なる例外は「アムク」が「アオムケト」になる六番、「モヌウ」が「モニヌエル」となる六十九番で、活用の変化です。また「イヰサ」が「イノイサノ」になった三十一番と、「ヘヰサ」が「ヘノイサノ」に変わった六十三番は「ヰ」を「イ」に置き換えた例外でした。百二十八首中で例外は許容範囲のたったの五つだけです。フトマニを贋作した者がいるとしたなら、その御仁は桁外れの傾奇者ですね！

「君が代」について

この推測を補強する資料もありました。平成十一年に日本の「国歌」になった「君が代」にまつわることです。「補強資料」はその三番が主なのですけれど、一番にも少し関係がありました。その一番の歌詞を書き出してみます。この形になった最初は平安中期の『和漢朗詠集』だそうです。巻下の「祝（いわい）」の三番目に「古今」として載っていました。なお、利用した「和漢朗詠集」には歌番号がありません。

きみが代は　千代にやちよに　さざれ石の　いはほとなりて　こけのむすまで　（読人不知）

その元歌となったのは、その第一句が「わかきみは（わが君は）」となっている古今和歌集巻七の賀歌の巻頭にある詠み人知らずの一首（歌番三四三）だといわれています。しかし古今和歌集の写本が違うと、その第二句や第五句が変わった別の二つの型もあるそうです（山田孝雄『君が代の歴史』宝文館出版、一九五六）。一句目が「ちよにましませ」の歌は『古今和歌六帖』にも載っているそうで、探してみると「第四：祝」の二二三四番の歌でした。この歌集については確かなことが不明ながら、天禄から円融天皇の代のあいだ（九七〇〜九八四）の成立であろうと書かれていました。

我君は　千世に八千世に　さゝれ石の　いはほとなりて　こけのむすまで（古今集 三四三番）
我君は　**千世にましませ**　さゝれ石の　いはほとなりて　こけのむすまで（古今和歌六帖）
我君は　**千世にましませ**　さゝれ石の　いはほとなりて　**こけむすまでに**（古今集別写本）

溝口貞彦の「『君が代』考」（藤田友治 編著『「君が代」の起源』所収）には、これらの歌の本歌（＊）だと想定される歌が万葉集の挽歌に入っていると書かれています（巻二、二二八番）。詞書によると次に示すその歌は、川辺の宮人が姫嶋の松原で乙女（恋人？）の屍（自殺した？）を見て悲しんで作った歌二首の第一番目です（宮人の虚実は不明です）。

妹が名は　千代に流れむ　姫嶋の　子松が末に　蘿生すまでに

溝口は挽歌に起源をもつ歌（君が代）を祝祭の場で歌うのは如何なものかと書いています。しかし平安時代には「祝」の部に入れられる歌に変わっているのですから、それは一つの見識として受け止めるほかありません。ただし彼の「さざれ石の巌となりて」の解釈には感嘆しました。「目から鱗が落ちる」とはこのことです。この句は「小石が集まって岩になる」という非科学的な（熱力学の第二法則に反する）ことを歌っているのではないそうです。そうでなく、「塵も積もれば山となる」という哲学思想を詩歌のことばで表しているというのです。「巌」と「苔」には「死」と「再生」が含意されているとか、脇道に入りすぎるから書けませんけれど溝口のこの論考には感動させられました。

＊本歌取り
平安時代の人々、特に宮廷人は和歌に命をかけていたようです。有名な話は、『小倉百人一首』にある村上天皇時代（九四六〜九六七）の宮中歌合せの折に「初恋」の題に対して壬生忠見が自信を込めて詠んだ歌、

恋すてふ　我が名はまだき　たちにけり　人知れずこそ　思ひそめしか　（四一番）

が、平兼盛の、

しのぶれど　色にでにけり　わが恋は　ものや思ふと　人のとふまで　（四〇番）

に敗れると、忠見は食事も摂らなくなって床に臥せるようになったそうです。それだけには終わらず、容態が悪くなったと聞いた兼盛が見舞いに行くと、忠見は「あの歌合せに敗れてから胸がふたがって、とうとうこんな重病になってしまった」と答えて、その後に亡くなってしまったと書いてあります（高木東一『小倉百人一首』光風館、一九五九）。当時の歌人たちは秀歌を詠むことに命をかけていたことが分かります。優れた歌を作るために参考になる古い歌を必死に勉強していたことは明らかで、これが本歌取りの背景です。

本歌取りのお手本とされる例は、「万葉集巻三、二六五番」を本歌とする藤原定家の「新古今和歌集巻第六、六七一番」の「駒とめて」の歌だそうです。

こまとめて　袖うちはらふ　かけもなし　さのゝわたりの　雪のゆふくれ　（新古今和歌集）

苦しくも　降りくる雨か　神（みわ）が埼　狭野（さの）のわたりに　家もあらなくに　（万葉集）

同じ音は「さののわたり」しかないのに、歌道に通じている人ならすぐ万葉集の歌が思い浮かぶのだろうし、素人でもこう並べて見せられると状況は違いながら旅人の不安と困惑の心情で通じていることが分かります。お手本といわれる所以なのでしょう。これに対して「我君は」と「妹が名は」とのあいだでは音の共通性はあっても歌意の根本が違っています。それでも溝口は「我君は」を本歌取りだといっています。

我君は　千世にましませ　さゝれ石の　いはほとなりて　こけむすまでに（古今集別写本）

妹が名は　千代に流れむ　姫嶋の　子松が末に　蘿生すまでに（万葉集）

これを知れば古今和歌集の仮名序の四つの歌はフトマニのウタの模倣作というべきです（素人目にも断じて逆方向ではあり得ません）。また巻七にある三四三番の賀歌（「君が代」一番の元歌）なら、ホツマツタヱ奉呈文のウタ二首（後の「『君が代』とヲシテ文献」で挙げる「イソノハノ」や「カカンナナス」）からの本歌取りだといってもいいのでしょう。

「君が代」の三番

ここからが「補強資料」の重要点になります。溝口は、「昭和六十年二月の閣議で当時の松永光文部大臣が文部省の調べとして『君が代』には三番までの歌詞があると報告した」とも書いていました。

君が代は　限りもあらじ　長浜の　真砂の数は　よみつくすとも

この元だとされる和歌は、第五十八代光孝天皇（在位八八四〜七）の大嘗祭の際に捧げられた歌で、その出典は古今和歌集巻二十の「大歌所歌」（歌番一〇八五）でした。古今集自体の成立年には延喜五年（九〇五）と同十二年頃の二説があるのですけれど、明らかに延喜五年よりあとに詠まれた歌が入っているそうで、おおよその完成と現在伝わる形との間に数年の差があるのでしょう。整理していい直しますと、「君が代」の三番とされる和歌は共紀八八四年（かそれ以前）に詠まれていたけれど、少なくとも今に残る記録は『古今和歌集』最後の巻にしかない、ということです。

紀貫之が書いた『貫之集』にはホトトギスを詠んだ歌の詞書に、「延喜の御時、やまとうたしれる人々、いまむかしのうた、たてまつらしめたまひて、承香殿のひんがしなる所にて、えらばしめたまふ。始めの日、夜ふくるまでとかくいふあひだに、御前の桜の木に時鳥（ほととぎす）のなくを、四月の六日の夜なれば、めづらしがらせ給ふて、めし出し給ひてよませ給ふに奉る」とあるそうです。その年が何年だかは不明ながら延喜元年（九〇一）よりは後です。したがって貫之が仮名序を書き始めたのもこの後になりますから、「一〇八五番」の作者が仮名序の例歌四を参考にできなかったことは明らかです。

「君が代」の三番とその元歌（この二つの違いは第一句の「よ」に当たる漢字に「代」を使うか「世」を使うかだけです）とを、フトマニにある「モヤマ」のウタと並べてみると相同の部分はそれほど多くありません。しかし発想がひどく似ていることは素人でも容易に感じ取ることができます。

君が代は　限りもあらじ　長浜の　真砂の数は　よみつくすとも（「君が代」三番）
きみか世は　限りもあらじ　ながはまの　まさごのかずは　よみつくすとも（古今一〇八五）
モヤマトノ　ミチハツキセジ　アリソウミノ　ハマノマサコハ　ヨミツクストモ（フトマニ六五）

「大歌所歌」は「神楽歌」のことらしいので素直な感慨とは違うにしても、「真砂の数は」の一句がいかにも説明的で、古歌の表現を分かりやすく書き換えたという印象を受けてしまいます。これだけ似ていていれば、誰でも「一〇八五番」の作者（詠み人知らず）はフトマニのウタを真似ていると思うはずです。真似ているならばフトマニは彼の時代より前に成立していないと困ります。それは決して江戸時代ではありません。

「君が代」とヲシテ文献

「君が代」三番の歌詞は古今和歌集巻二十の「一〇八五番」の和歌（を元歌にしているの）でした。

この歌もやはり石川五右衛門の辞世の歌に似ています。ということはフトマニの六五番だけでなくホツマツタヱ奉呈文のウタにも似ているということです。くどくなりますけれどもう一度、暴訳も加えて並べてみます。

石川や　浜の真砂は　尽くるとも　世に盗人の　種は尽きまじ　（石川五右衛門）
君が世は　限りもあらじ　長浜の　真砂の数は　よみつくすとも　（古今一〇八五）
磯のハの　真砂はヨミテ　尽くるとも　ホツマの道は　いく代尽きせじ　（ホツマ奉呈文）
モヤマトの　道は尽きせじ　荒磯海の　浜の真砂は　よみつくすとも　（フトマニ六五）

石川五右衛門の釜茹では、日本に滞在していたスペインの貿易商人ヒロンの『日本王国記』に、「この事件は一五九四年の夏である。油で煮られたのは石川五右衛門（Ixicava goyemon）とその家族九人ないしは十人であった」とあるそうですから、事実と考えていいでしょう。ならばその辞世の歌にも信憑性が出てきて、詠まれたのは秀吉が伏見城に入った年（安土桃山時代）の作ということになります。この四つの歌をよく眺めてください。三番目と四番目のヲシテ文献にあるウタについて、もしあなたが次の二者択一を迫られたら、どちらに手を挙げますか？
（一）前の二つを参考に、江戸時代の酔狂人が捏造して贋古文書に紛れ込ませた。

（二）間接的にかもしれないけれど、前の二つの元歌にされた。

素直に考えれば（二）でしょう。

さて、ホツマツタヱの奉呈文に戻ってみると、その末尾に「ハナノソエウタ」としてヲヲカシマが二首を残していました。その初めのウタを書き出します（0―23）。

カカンナス　ハルノヒトシク　（カカン、発生や成熟の象徴らしい）
メクリキテ　**イソノマサゴハ**
イワトナル　**ヨヨ**ノンテンノ　（ヨヨは万世、万代。　ノンは伸びる、栄える）
ホツマフミカナ

このウタは奉呈文の前半を書いたヲヲタタネコが「ソエテササクル　コトノベノウタ」（0―7）といって詠んだ、「イソノハノ」のウタ（第1章「＊奉呈文から紀貫之へ」）に呼応しているのです。それに気づいてふとその前にある「合計四十アヤから成る」という引用（第1章（2）の「ホツマツタヱの完本」）の三行目を読み返すと、「君が代」の一句がありました（0―4）。

キミガヨノ　スエノタメシト

「キミガヨ」という表現は少しも珍しくはないといわれるのなら、ヲヲカシマの「カカンナス」のウタ自体に注目してください。「イソノマサゴハ　イワトナル」は、溝口の考察と比べればあっさりしているけれど、さざれ石（磯辺の細かい砂）が巌（岩）になるに通じています。「ヨヨノンテンノ」も「千代に八千代に」を引き出しているとみていいでしょう。だとすれば「君が代」の一番にも関係が出てきます。第1章で紹介した「イソノハノ」で始まるヲヲタタネコのコトノベノウタ（〇―5～6）との親和性が高いからです。

イソノハノ　**マサコハ**ヨミテ
ツクルトモ　**ホツマ**ノミチハ
イクヨツキセシ

この奉呈文二首の呼応はフトマニ六十五番に集約されているように感じられます。この関係を古文書偽造者の細工と見なすのは恣意的にすぎましょう。それよりも「ト」のヲシテ（ホツマの道）を尊ぶ者たちの一貫した思想と受け取るほうがはるかに自然です。

溝口は万葉集から古今和歌集に至る過程を考慮して「君が代」の歌は挽歌だと論じていました。

しかし地方豪族などの旧勢力を抑えて天皇家との強い姻戚関係を築いた平安貴族の心情を考えれば、「イクヨツキセシ」を、彼らの担いでいる天皇の御代は千代に八千代に続くのだという期待に置き換えたとしても不自然ではなさそうです。そもそもホツマツタヱの奉呈文を一体の文書として味わうと、上の二つのウタは、「ホツマの道」すなわちクニトコタチの建国の理念である「トノヲシヱ」を讃えているのですから哀悼の気持ちが込められているとは思えません。ただし、これが奉られたヲシロワケ（景行天皇）の時代は、こういう形で讃えなければならないほど「ホツマの道」が廃れてしまっていた可能性はあります。そうならばこれらのウタはシニカルな「挽歌」ということになるでしょう。

余談ながら平安時代の「紀家」は政治的には無力な「旧勢力系」で、家系を遡れば武内宿祢（たけうちのすくね）にたどり着くそうです。タケウチは、記紀が三百年ほども生きたとしているために、架空の人物と見なされがちです。しかしホツマツタヱによれば、紀の国の国司であったウチマロの娘であるヤマトカゲヒメが産んだ子であり（38―8）、ヲシロワケとは深い信頼関係で結ばれています（39―21、40―68〜69）。余章の末尾のいい方（「日本上代史の解明へ」）を使うと、紀貫之は「記紀集団」に反感をもつどちらかの「集団」の末裔のように思えます。

仮名序の示唆

古今和歌集の仮名序からは、撰者の中で一番若い紀貫之が一時代前の六歌仙（＊）をことごとく腐したうえで手前みそを並べているという、やや趣に欠けた感じを受けます。歌集の成立が延喜五年なら三十代、十二年なら四十代の顕示欲が旺盛な年頃で、編者の最年長者だった紀友則は従兄ですし、他の二人には身分で優っていたから遠慮がなかったでしょう。もちろん貫之は自分が寝起きしているその土地（日本列島）の千年後に、どんな歌が「国歌」となるかなど知る由もありません。それなのに「いにしへのことをもわすれじ」、「のちのよにもつたはれ」の心構えで「萬葉集にいらぬふるきうた」も対象に入れて歌集を編んだその序文に、「はまのまさごのかず」とか「さゞれいしのいはほとなるよろこび」などと書いているのです。彼自身が挙げた例歌六首の中の四首までがフトマニからの改作らしいことを思い出せば、「浜の真砂」も「さざれ石の巌となる」も、ホツマツタヱのソエウタを念頭に置いた結果だとしか思えません。消されたはずのヲシテ文献（「ヲシテ文献改竄の利益」）が古今和歌集の中で生き残っていたのです。

＊六歌仙
「六歌仙」とは、古今和歌集の仮名序で紀貫之に名を挙げられて腐された歌人たちを後世が讃えるようになっただけで、決して貫之がこの六人を名歌人だといったわけではありません。公家や皇族で

は小野篁（八〇二～五二）、在原行平（八一八～九三）、源融（八二二～九五）、藤原高子（八四二～九一〇）なども和歌の名手とされていますけれど、貫之は「身分の高い方々について軽々しく論ずることは憚られるから」という言い訳を使って名前を出しませんでした。そういう次第で名前を出された六歌仙は身分が低いために生没年も分からない場合が多いのです。貫之の生年にも貞観八年（八六六）とか同十四年頃とか、定説がありません。仮名序で挙げられた順に書き出しますと、僧正遍照（八一六～九〇）、在原業平（八二五～八〇）、文屋康秀（？）、喜撰法師（？）、小野小町（？）、大伴黒主（？）です。おそらく共紀八百年代の中頃に活動した人々でしょう。貫之が優劣をつけ難いとして讃えていたのは奈良時代以前の人というべき柿本人麻呂と山部赤人だけでした。

古今和歌集が日本で初めての勅撰の（天皇の命令によって編纂される）和歌集であることはご承知のとおりです。命じたのは第六十代の醍醐天皇で、その三代前の陽成天皇から二代前の光孝天皇へ皇位が移るときちょっとした政変がありました。ですから「今の時代」の人々にとって陽成天皇（在位は八七六～八八四）の治世までは、今と対立する「前の時代」になるわけです。六歌仙は「前の時代」の歌人だったので、貫之もそう褒めるわけにはいかなかったでしょう。先の四人の高貴な歌人たちも同じくその時代に人になります。そのさらに前は平安京に遷都した五十代桓武天皇から、醍醐天皇と陽成天皇の共通の曽祖父に当たる五十四代仁明天皇までの時代です（七八一～八五〇）。これを荒っぽくいえば共紀八百年代を占める「弘仁・貞観（文化）」の時代で、中国をお手本にする「唐風文化」の最盛期でした。もっと古い奈良時代と飛鳥時代はその唐風文化が日本列島の中心部を席捲しはじめた時期ですから、「国風（和風）文化」の意識に目覚めた（ここは微妙です。唐風に反発した、というべきかもしれません）貫之たちの目から見れば、不本意な「前の時代」が三百年以上続いていたことになります。
　話を仮名序の六首の例歌に移しますと、貫之としてはここで奈良時代に本格化する「前の時代」の歌など直接には無論のこと、間接的な本歌取りの元歌としても使いたくなかったのでしょう。そういう状況で参考にできるのは家伝のヲシテ文献のウタしかなかったはずです。フトマニやホツマツタヱは「和風文化」のミナモトですから。

　こういったことを考えると、古今和歌集の完成をみた平安時代前期まではヲシテ文献が残されていたことになりそうです。この時代の特別な家系にはフトマニやホツマツタヱがあったからこそ、そこに記されている「いにしえの古きうた」を手本として和歌を学ぶ者もいたのでしょう。でももちろん、ここで「ヲシテ文献が江戸時代に初めて出現したという捏造論は根拠を失った」などとは申しません。古い写本が見つかったわけではなく、江戸時代の酔狂な国学ファンがこれらを知ったうえで捏造したという仮説を論理的には―ホツマツタヱとフトマニ双方に関わっているからとても難しいことながら―否定できないからです。それに言挙げ（ことあげ）の祟りは恐ろしいですしね（第5章「ヤマトタケの言挙げ」）。

「和歌（うた）」を辞書的にいうと、「長歌、短歌、旋頭歌、仏足石歌体を含む、万葉集に所収の歌の形式」ということになるようです。もっとも勅撰の二十一代集すべてを合わせた中でも旋頭歌は実質二十一首しかなく、仏足石歌体に至っては一首も入っていません。だからここでは長歌と短歌とだけを考えます。長歌の定義は五音・七音の二句を何回も繰り返した後に七音を一句だけ加えて結ぶ形です。長歌というには普通「五・七」の組み合わせが四回は必要といわれます。短歌は長歌を詠み終えてから、その内容を振り返ってまとめたり別な視点で補ったりする反歌のことで、「五・七」の繰り返しは二回だけです。ですから「五・七・五・七・七」で、「三十一文字（みそひともじ）」とよばれます。「八雲立つ　出雲八重垣　妻籠みに　八重垣作る　その八重垣を」が和歌の起源でないことはすでに申しました（第1章（2）の「百二十八首のウタ」）。『万葉集』だけを見ると長歌と短歌のあいだの形式（「五・七」が三回）はきわめて稀（巻十六、三八五七番は該当します）なようですけれど、百行にも満たないホツマツタヱの奉呈文の中には二つもあって、短歌と同じように「ウタ」とよばれています。

ソエウタと反歌

ヲヲタタネコの「ソエテササクル　コトノベノ**ウタ**」（0―5～6）は「五・七」が二回の、古今和歌集以来の正統的な短歌形式です。

イソノハノ　マサコハヨミテ
ツクルトモ　ホツマノミチハ
イクヨツキセシ

しかしヲヲカシマの「ハナノソエウタ」（0―23）は「五・七」の一行をさらに加えて、「五・七・五・七・五・七・七」の七句から成り立っていました。

カカンナス　ハルノヒトシク
メクリキテ　イソノマサゴハ
イワトナル　ヨヨノンテンノ
ホツマフミカナ

「『君が代』とヲシテ文献」では紹介しなかったもう一首も七句からできています（0―24）。

マキムキノ　ヒシロノミヨニ

ミカサトミ　　イセノカンヲミ
ヲヲカシマ　　フモヨソナトシ
ササクハナヲシ

ところで、紀貫之は「仮名序」であの「六つの例」を挙げるにあたって、「そもそも歌の様(さま)六つなり。唐(から)のうたにもかくぞあるべき。その六種(むくさ)のひとつにはそへ歌」と書いてから、「おほさゝきのみかど(仁徳天皇)をそへたてまつれるうた」である「なにはづに」の歌を挙げています。「そえ歌」という考えの起源を、見当外れであることを承知のうえで漢詩の古典である『詩経』でいわれている「六義」に求めているのです。そしてヲシテ文献にある「ソエテ」と記されたウタや、もっと直截に「ソエウタ」と明記されたウタのあることには触れていません。興味深い点はこの埋め合わせをするかのように、六種の例歌を挙げた後の文章二千六百十九文字の中に「いにしへ」ということばを七回も出していることです。平均すれば四百字詰め原稿用紙の一枚に一回を上回ります。もちろんこの「いにしへ」は、唐風文化が卓越しはじめた三百年にわたる「前の時代」よりもさらに前を指しているはずです。そこはもう古墳時代であって、その初期までならヲシテの文化が活きていた可能性があると想像されるのです(第4章の「弥生時代末期」)。

創成期の反歌（短歌）

ホツマツタヱ奉呈文にあるクシミカタマやヲヲタタネコのウタは、「五・七」の繰り返しで捧げた本文（長歌に対応）の反歌、あるいはその元祖だといってもよさそうです。なぜなら典型的な（今では常識の）短歌形式だけでなく、五・七の繰り返しが一、二回多い、常識に反する、「五・七・五・七・五・七・（五・七・）七」形式のウタも、本文のまとめとして使われているからです。この形式を仮に「長い反歌」とよびます。

ヲシテ文献を丹念に見ていくと長大な本文が「五・七・七」で終わった後に、改行してこの「長い反歌」形式の七句または九句が追加されている例が四つありました。ミカサフミの一つと、ホツマツタヱの二つでは七句です。この三例には、「ソエウタ」であることを示すことば（ソエ、ハナヲシなど）はありません。四つ目の場合は九句で「ハナヲシ」と明記されていました。この四例を引き写します。

ヲオンカミ　オリノミユキニ
キキマセハ　コキミモミコト
ミチヒコモ　ミナツツシミテ
ウヤマイニケリ

ミカサフミタカマナルアヤ（ミ―133）

アナニヱヤ　アナウレシヤト
ヲカミサル　ヤタノカガミノ
ミナノアヤ　イトメクミナリ
アナカシコカナ

カンカガミヤタノナノアヤ（17―100）

トキアスス　ヤモヨソミホノ
アキアメカ　コレタテマツル
ミワノトミ　スエトシオソレ
ツツシミテソム

アツタカミヨオイナムアヤ（40―98）

マキムキノ　ヒシロノヰソム
トシツミヱ　ホツミハツヒニ
ミカサトミ　イセノカンヲミ
ヲオカシマ　フモヨソナトシ
ササグハナヲシ

クニナヅガノブ（ミ―44～45）

「ミ―133」は、ヲオンカミ（アマテル）がオリノ（たまたま）御幸をなされた地で、コキミモミコト　ミチヒコ（位の高い低いに関係なく大勢集まった臣下たち）から世界のはじまりについての説明を求められ、それに応える部分が本文です。その顛末を述べているのがこの七句ですから本文のまとめといえるでしょう。「17―100」も同様で、引退後のアマテルが「ヤタノカガミ」の名前の由来について諸人に説明したあとで聞き終わった人々が「あなうれしや」などと悦びを口にしつつ帰っていったほどに勿体なくもありがたい恵みであった、という七句です。「40―98」はホツマツタヱの全文の最後に置かれた七句ですから締めくくりであることはいうまでもありません。この三例を見る限り、これらもまた「反歌」の性質を備えていることは確かです。万葉集で定式化される以前の「長歌を詠み終えてから、その内容を振り返ってまとめたり別な視点で補ったりする反歌」の原始的な形が、「ウタ」ともよばれずに、早くもヲシテの時代に思いつかれていたのだと考えます。古今和歌集の「歌（和歌）」よりも、万葉集の反歌（短歌）よりも、ヲシテ文献の「ソエウタ」のほうが先にあったのです。

「ミ―44～45」は教科書的になら長歌として分類される「五・七」を四回含んだ九句のウタでした。明記はされていないけれど先行する段落の最初の一行に「クニナヅガノブ」とありますので（ミ―42）、これはミカサフミ奉呈文の末尾でしょう。このウタには「ハナヲシ」の一語が入っています（後世の花押は「ハナヲシ」に起源があると思われてなりません）。このことばがあるからどうこうとは申しませんけれど、「クニナヅガノブ」の十七行の長歌形式のあとに改行して置かれているのですから、ここでいう「長い反歌」に分類しても構わないと考えます。なお「クニナヅ」はヲヲカシマの実名ですので、このウタがホツマツタヱ奉呈文の末尾にある七句のウタ（0―24）と似ていることは何の不思議でもありません。

長歌と反歌という観点からみていっそう端的な表現が、ホツマツタヱの二十八アヤにあるアマテルが詠んだ「ヨニノコスウタ」とその「カエシノトウタ」でした。「カエシノ」は「反しの」であり、「ト」は大切な「トノヲシヱ」（第1章（2）の「ミクサタカラ」）の「ト」ですから、これは「反歌の形で言い直したトノヲシヱ」と受け取ってもよさそうです。五音・七音を十五回も繰り返してこれに七音を加えた長歌相当の部分（28―37～41）が、アマテルの遺言である「ヨニノコス**ウタ**」とされている点も注目に値します。そしてそのあとに「**カエシノトウタ**」が置かれているのです（28―41～42）。

カエシ　　ノトウタ
ヒトツネニ　　カミニムカハハ　　（次行のミミ、「耳」ではなく「身々」）
ヨノミミノ　　アカハアモトノ　　（アモト、「モトアケ」第一穀の八方のカミたち）

サヲシカニ　キヨメタマヒテ（サヲシカ、カミの使い）
サコクシノ　フユノカガミニ（サコクシ、「モトアケ」が表現する大宇宙？）
イルトオモヱバ（前行のフユノカガミ、天地の循環の中？）

先ず一行を使って「反歌」であることを強調している点には驚かされました。五・七の繰り返しが四回ある長い反歌を「反しのウタ」と明示して、その前で述べられた内容をフトマニ図に濃縮されている用語を使って要約しているのです。これこそが長歌と反歌の起源だと感じてしまいます。

第3章での結論

ヲシテ文献を「江戸時代に古さを装って偽造されたニセ文献だ」と主張する限り、その偽造者が異常に古代史に詳しく和歌に通じていてしかも古語を自在に操ることができて、そのうえ五・七調の分かち書きまで思いついた、などという途方もない仮定を重ねないと答えられない事柄がいくつか出てきました。ところが、ヲシテ文献が平安時代の初期までは存在していたと仮定するだけでそれらの事柄は容易に解決してしまうのです。この事実は無視できません。要点を四つ箇条書きにしますので、ここまでに述べてきたところを思い出しながらご覧ください。

一、古今和歌集仮名序で六つ挙げられた例歌のうちの四つまでが、フトマニの四つのウタ（三三番、六五番、八一番、九七番）に、模倣と思われるほどよく似ていた。

例歌二　さくはなに　おもひつくみの　あぢきなさ　みにいたづきの　いるもしらずて
三三番　フノヤマニ　オモヒツクミノ　トリヱナミ　ミニイタツキノ　イルモシラズテ

例歌四　わがこひは　よむともつきじ　ありそうみの　はまのまさごは　よみつくすとも
六五番　モヤマトノ　ミチハツキセジ　アリソウミノ　ハマノマサコハ　ヨミツクストモ

例歌五　いつはりの　なきよなりせば　いかばかり　ひとのことのは　うれしからまし
八一番　ヲヤマトノ　ミチハスナオニ　イツワラテ　ヒトノコトノハ　ニヱニユクナリ

例歌六　このとのは　むべもとみけり　さきくさの　みつばよつばに　とのづくりせり
九七番　スノヤマハ　ムヘモトミケリ　サチクサハ　ミツバヨツバノ　トノツクリセン

二、古今和歌集巻二十の大歌所歌（一〇八五番、「君が代」三番と同音）も、フトマニの六十五番とよく似ていた。

大歌所 きみか世は　限りもあらじ　ながはまの　まさごのかずは　よみつくすとも
六五番 モヤマトノ　ミチハツキセジ　アリソウミノ　ハマノマサコハ　ヨミツクストモ

三、古今和歌集巻七の賀歌（三四三番、「君が代」一番の原形）は、ホツマツタヱ奉呈文の二首と歌意が通底していた。

賀歌 我君は　千世に八千世に　さゝれ石の　いはほとなりて　こけのむすまで
奉呈一 イソノハノ　マサコハヨミテ　ツクルトモ　ホツマノミチハ　イクヨツキセシ
奉呈二 カカンナス　ハルノヒトシク　メクリキテ　イソノマサゴハ　イワトナル
ヨヨノンテンノ　ホツマフミカナ

四、長歌のあとに反歌を添える万葉集の和歌の形式は、本文のあとにソエウタやカエシのウタを付け加えるヲシテ文の様式とよく似ていた。アマテルが詠んだとされる「ヨニノコスウタ」と「カエシノトウタ」の対は、長歌と反歌の原点を思わせた。

ヲヲカシマの「ソエウタ」でもアマテルの「カエシノトウタ」でも、敢えて珍奇な「長い反歌」

の形式を採用したところで、ヲシテ否定論者が想定しなくてはならない偽造者には何の「利得」もなさそうです。もうヲシテ偽書説に斟酌する気持ちは捨てました。ヲシテにあるウタは、万葉集も古今集も二十一代集も知らない人物によってごく自然に詠まれています。「言挙げの祟り」を恐れずに申しましょう。ホツマツタヱの内容にはウソが入っているとしても、ヲシテ文献そのものは飛鳥時代より前に作られていたホンモノだと結論します。ニセモノ（記紀を基にした贋作物）だと強弁すると、古今和歌集全体をすんなりと理解することができません。もちろんホツマツタヱが古事記や日本書紀より前に書かれていることは、この三書を比較した松本善之助や池田満が指摘しています。第5章の「ホツマ討ち」では、草薙の剣の書かれ方でもそれが裏付けられることを述べるつもりです。

第4章　ヲシテ文献の周辺

孤立した文献ゆえの問題

第2章ではヲシテ文献に対する批判の論拠を挙げたうえで、それらが積極的なヲシテ否定論にはならないことを述べました。第3章では、贋作行為には何らかの見返りが期待されていることを考察して、江戸時代にヲシテ文献を捏造したと仮定する場合に、それがひどく困難でしかも割に合わない仕事であることを指摘しました。そのうえで、ヲシテ文献が平安時代の初期までは存在していたことを認めないと説明がつきにくい新事実を示しました。けれどももう少し知っておいていただきたい大切な点があります。お付き合いください。

最大の問題点は松本善之助による再発見の後でさえヲシテが孤立した文献であって、その史料的な価値がいまだに認められていないことだと思います。「孤立した」という意味は三種類の写本（それも完本はホツマツタヱだけ）しか発見されていないし、漢字が伝来した後の時代とのつながりが一切知られていなかったということです。古事記や日本書紀の編纂された理由が国内外への情報操作だったとするなら、その目的を完全に果たすためには都合の悪いことの書かれた古い文書の抹消が不可欠だったはずです。その後の漢字文献はヲシテにまったく触れませんでしたから、千数百年が経つうちにヲシテそのものが日本列島人の記憶から完璧に消えてしまいました。そのために松本らが探し出した僅かな写本やそれについての研究成果は、健康な人が触れてはいけない危険物、―例えば原子炉から持ち出された放射性廃棄物―のような扱いを受けているのです。列島人は漢字を受け入れることと引き換えに漢字での記載が唯一の身元証明であるような状況に馴らされてしまって、学問の拠点となるべき大学に在籍の先生がたまでがヲシテに目を背けておいでなのです。

第3章（2）の「新資料に出会う」で述べたことは、今まで想像もされていなかった平仮名文化とヲシテとのつながりです。「平仮名文化」とは、奈良時代の漢字文化の勢いが一段落したのちに立ち上がった和風の文化のことです。これを契機にヲシテの真贋を再検討して、このつながりを専門の方々が調べてくだされればもっと多くことが分かってくるでしょう。これまでは松本が発見した（一九六七）ヲシテ文献に価値が認められていなかったから、ヲシテに真剣に向き合う人々は学問の土俵に上げてもらえず、その結果として研究がなかなか進まないという悪循環が半世紀以上の長きにわたって続いていたのです。

史料的価値が認められていない点では、ナポレオン戦争時代のエジプトで見つけられた石碑（ロゼッタ・ストーン）の「神聖文字（ヒエログリフ）」と対照的です。碑文の価値はこの石を見つけた大尉でしかないフランス軍人にも分かったのだし（一七九九）、ヒエログリフの解読にはこの石碑の所有権でも争ったイギリスとフランスの学者だけでなく、その千年以上も前から中近東の学者を含めた大勢の人々が試みていました。シャンポリオンの成功（おそらく一八二四）はその集大成だといえるでしょう。これに対してホツマツタヱの解読に立ち向かったのは、出版社（自由国民社）で編集長をしていたとはいえ学問からは離れていた市井の松本善之助（一九一九〜二〇〇三）だけです。彼に備わった人徳が広く全国の同志を集めたおかげで、なんとかその没後にも解読、研究が続いているというありさまです。現在の「日本ヲシテ研究所」はその重要な拠点の一つではありますけれど、かつては各地に大勢いた「同志」たちが今どんな活動をしているのかその消息は判然としていません。

ヲシテは半ば他国語

現代の日本人にとってヲシテは半ば他国語なのです。これが完全な他国語ならもう少し客観的に立ち向かえるのですけれど、半ばは自国語ですから解読には余計な困難が加わります。物心がついたときから漢字と平仮名（さらに片仮名も）の混じった文を「日本語」として教育されているために、ヲシテ文を声に出して読むと無意識のうちにそれが漢字に置き換えられて、そのことばが漢字渡来の前にもっていた意味を歪めてしまうからです。ホツマツタヱの『秀真政伝記』やミカサフミに対する『三笠山紀』などにある、理解の不十分な段階で書かれた漢訳文や解説文は、著者の意図に反してヲシテ理解に害を与えてしまうのです。

ヲシテ文献を読もうとするならヲシテ文そのものに向き合え、という松本やその門下生である池田満の主張は当然のことです。もしヒエログリフだけで書かれた長文の史料が発見されて、それを誰かが英語に翻訳したと考えてください。その英訳文だけしか読んでいないあなたの知人が、あなたに向かって得々と講釈し始めたとしたら真面目に聞く気持ちになれますか。拝聴どころではないでしょう。ヲシテ文献も同じことで、例えばホツマツタヱを少しでも正確に読み解こうとするのなら、青木純雄と、平岡憲人、斯波克幸による二冊の『よみがえる日本語』(「ことばのみなもとヲシテ」と、「助詞のみなもとヲシテ」)を横に置いて、ヲシテ文字の原文―字体の校合が必要ですから現実的には池田満の『定本 ホツマツタヱ』になると思いますけれど―に挑まなくてはなりません。ヲシテ文字を片仮名に直してしまってもだめなのです。それでは二百以上ある変体ヲシテ(とりわけ古い時代からあると思われる図象)で表現された意味が失われるからです。敬意を表す図象はもちろん、「悪い意味」を示すときに使われる「ヒゲ濁点」とか、特殊なことばに加えられる「点」やその他の「変体」を無視すれば、原意に忠実な理解には到達できないでしょう。

これは大変な作業です。個人でできるようなことではありません。ところが継続的な研究を組織として進めることを使命とする大学には、ヲシテ研究を手掛けている講座（研究室）が、調べた範囲でまだ見つからないのです。これを根本の問題だと感じます。

消えたホンツワケ

ホツマツタヱもミカサフミも「ヲシロワケ」という不可解なスヘラギ（皇）に捧げられています。ホツマツタヱによれば、実名をタリヒコというこの人物は十一代スヘラギのイクメイリヒコ（十一代垂仁（すいにん）天皇）の次男として生まれて（36―6）、十歳ほどのときに二つ年上の兄ヰソキネがいるのに皇位を継ぎたいと望みます。父親がそれをすぐ許可したので、十八歳で正式な皇太子になりました（37―32）。ところが皇位を継いだ（十二代スヘラギの景行天皇）ときは八十一歳という高齢になってからで（38―2）、亡くなるのが百四十歳（在位年数は六十年）です。これだけでも何となく不自然なのに、誕生の前にはもっと不自然な話があるのです。

ヲシロワケの母親（ヒハスヒメ）は三番目の正后でした。最初にイクメイリヒコの正后となったサホヒメ（35―4～5）は実兄と相愛でしたから、生まれたミコ（ホンツワケ）は実の子なのか兄サホヒコ（イクメイリヒコと祖父が同じ）の子だったか微妙です。さて、ヒメがサホヒコのいる実家に里帰りした折に兄から「自分と夫のいずれが信頼できるか」と問われて「兄だ」と答えます（35―15）。「それなら夫を殺せ」と細い刀を渡され、実行しようとしながらもなお躊躇しているところを夫に気づかれたヒメは、二歳になったミコを抱いて兄のミヤに入りました（35―26）。キミ（夫）は兵を差し向け、そのミヤに火をつけて「火が廻る前にヒメとミコを外へ出せ」と告げさせますと、サホヒメはミコの「ホンツワケ（誉津別）」だけを炎越しに渡して自分は兄と共に焼け死にます（35―26～30）。そこで二人目の正后としてカバヰツキヒメが迎えられました。ところがこのヒメはヤマトヒメを出産した後すぐに亡くなってしまいます（36―2～3）。こういう次第で三番目のヒハスヒメが登場してヰソキネ、タリヒコ（ヲシロワケ）という兄弟が生まれたのです。

イクメイリヒコはサホヒメを兄に騙された犠牲者と考え、ホンツワケを実子だと思い込んでいますから、このミコを大切に育てます。ところが彼は髭も立派に生えてきたのに（二十一歳）、ことばを発しません。心配な父親は、伊勢のタカミヤのミツエシロ（斎宮）にしたヤマトヒメにこの異母兄の回復を祈らせます。それが効いたのかその年のうちにホンツワケが喋るようになるのですけれど（36―9～12）、そこでこの若者は忽然と話の筋から消えてしまって、そのほぼ十三年後にタリヒコがヤマトヲシロワケの名で皇太子となるのです。ここで消してしまうのならあの長々としたホンツワケの挿話はいったい何だったのか、ヲシロワケが名君としては語られていないので殊のほか訝しく思われます。

ヲシロワケ時代の推定

景行天皇などと聞いてその実在を疑っていらした方もおられると思います。しかし初代神武とその直後の「欠史八代」といわれる天皇（ホツマツタヱには対応する人の実名などが書かれています）はともかく、十代崇神天皇以降に対しては、古事記や日本書紀の記述とは違うにしても相当する人物は実在したと思います。問題は（「景行天皇陵とされる古墳」はあっても）ヲシロワケの時代が弥生時代の初期から古墳時代の末に至るいつ頃なのか、いまだに確とした証拠に基づく説のないことです。日本書紀は、ある天皇の即位何年目になにがしの出来事があった、という具合に漢文で書かれています。その「なにがし」が中国か朝鮮の歴史書にも記されていれば、その国の紀年法と突き合わせて、その「何年目」を、共通紀元に換算できます。しかし相当する国外文献がない場合には前後に記されている天皇の在位年数などから推定するしか方法がありません。しかもその作業を困難にする要因が少なくとも二つあるのです。

一つ目が、『魏志倭人伝』（正確には『三国志　魏書三十』の中にある「倭人条」のこと）に、倭国では半年を一年と数えていたように読める箇所があることです。大昔の人物で百歳を超える長命な者が多いのはそのためだという説明はよく聞きます（その適否は不明です）。二つ目は、漢字文化（したがって日本書紀も）での紀年法（年代表記）が十干十二支（干支、俗にいう「えと／ヱト」＊）でなされていることです。干支は六十年で一巡しますから、「なにがし」が国外の史書にあったとしても、共通紀元との対応を間違えれば容易に六十年単位の狂いが生じてしまうのです。

ホツマツタヱに記されている紀年法は複雑です。トコヨクニの初代アマカミ、クニトコタチはマサカキの樹と枝の数を基にした「スス」というコヨミ（暦法ではなく紀年法）を定めます。それはカミヨのあいだの十二代続いたけれど、そこでマサカキの苗が絶えてしまいました。その後はヒトノヨになって、初代スヘラギのタケヒト（神武天皇）はコヨミを梓の木に刻印する「アスス」とよぶ方法に変えたのです。このヲシテ時代の年代表示を現代に通じるように変換する試みはいくつかあります。しかしそれらの妥当性が分かりませんので、ここでは「ヤマトヲシロワケの即位は共紀一九五年」という朝倉未魁の説と、「ヲシロワケが五月に八代海で不知火を見た景行十八年は共紀二四三年」という吉田六雄の計算とを挙げておきます。

ヲシテの年代表記を干支の表記に置き換えている実例を、初代天皇神武の即位年の場合を取り上げてお見せしましょう。まずホツマツタヱ（29―66～67）です。

・・・・・　カンヨリニナモ　（ナ、名）
カンヤマト　イハワレヒコノ
アマギミト　アマネクフレテ

トシサナト　カシハラミヤノ　（カシハラミヤ、奈良の橿原の宮）
ハットシト　・・・・・・　（ハットシ、元年）

サナトはキアヱの紀年法（このすぐ後で説明します）の五十八番目に当たる年のことで、一方の干支の五十八番目は**辛酉**（かのととり）です。ここが日本書紀の巻第三、「神日本磐余彦天皇神武天皇」の末尾でほぼ完全に直訳されています。

辛酉年春正月庚辰朔、天皇卽帝位於橿原宮、是歳爲天皇元年。

一般論として「サナトが『五十八番目』だという意味では干支の辛酉に相当します」というのならいいのですけれど、双方の一年が同じ長さであり、「キアヱ」と「甲子」を同時にスタートさせたのでない限り、「直訳」してはいけないはずです。ただしこれは理屈です。現実には「神武天皇」は出生の記述からして曖昧ですし実在そのものにさえ疑いがかけられているのですから、ここで誤訳かどうか気にしてもはじまりません。そのうえ神武天皇の即位の年を共紀前六六〇年の辛酉とする根拠にしても、聖徳太子が斑鳩の宮を造営した年（六〇一、これも辛酉）を基点にして、その上に大革命は千二百六十年（干支の二十一巡分）ごとに起こるという中国の思想

（讖緯説）を借用した「お話」でしかないのです。だから神武の即位が共紀何年に当たるかなど、問題にしても空しいばかりです。

＊干支とヱトは別物

この二つは漢字と読みの違いではありません。干支とは中国起源の十干と十二支の組み合わせでできる六十を一巡とする数え方です。総数が百二十になりそうですけれど、干（甲、乙、丙、丁など）と、支（子、丑、寅、卯など）の双方がそれぞれ一つずつ順番にずれて対になっていくから、例えば干の奇数番目の甲や丙は、支の偶数番目の丑や卯などとは対を作れません。それで総数が六十（十と十二の最小公倍数）になるのです。この順番は年や月日、時間、方角などさまざまな場面で利用されます。

一方のヱトの「ヱ」と「ト」は日本起原です。「ヱ」は兄で、「ト」は弟、ホツマツタヱに従っていえば初代アマカミであるクニトコタチの正后が産んだ兄のヱノミコトと弟のトノミコトを指しています。現在の使い方は中国由来の陰陽五行説の五要素「木、火、土、金、水」に、「え」と「と」をつけて「きのえ」、「きのと」などとよびます。漢字で書くときは「木の兄」を「甲」、「木の弟」は「乙」に当てますけれど甲と乙には兄弟関係などありません。実に奇妙な和漢折衷です。この組み合わせの数も十干十二支の組み合わせの場合と同じく六十になります。

ヲシテ時代のカミコのコヨミでは植え継いだマサカキの樹とその枝の数が使われたといいました。そして、その枝の一本一本について「キアヱ」という紀年法が加わります。本来の「ヱ」「ト」はここで使われていたのです。それはアマテルの誕生の記述の際にも出てきます（4―24～25）。

・・・・・　ヤヤソナワリテ
アレマセル　アマテルカミゾ　（次行のフソヒスズ、二十一本目のマサカキ）
フソヒスズ　モモフソヰヱタ　（モモフソヰヱタ、百二十五番目の枝）
トシキシヱ　・・・・・・　（**キシヱ**、キアヱで数えて三十一年目）

「キアヱ」は五つの方角（東、西、中央、南、北）を表す「キ、ツ、ヲ、サ、ネ」の五文字に、「ヨミを編んで民を養う」の意味が込められた「ア、ミ、ヤ、シ、ナ、ウ」の六文字を組み合わせた三十とおりの二文字に、それぞれ「ヱ（兄）、ト（弟）」をつけて、「キアヱ」、「キアト」、「ツミヱ」、「ツミト」と続けていく数え方です。これも一巡の数は六十、結局は干支の場合と同じになります。干支の順番に合わせれば、キアヱは甲子（きのえね）、キアトは乙丑（きのとうし）、ツミヱは丙寅（ひのえとら）になるといえばなるのです。アマテルの誕生年のキシヱは甲午（きのえうま）でした。もちろん、ヱトが干支と無関係に日本列島で独自に作られたという話は本当か、という疑念ならもってもいいでしょう。「ア、ミ、ヤ、シ、ナ、ウ」の文字そのものよりも、ここを六文字と決めた理由が分からないからです。しかし、だからといってヲシテ自体を江戸時代の贋作物だと決めつけるのは、これまた暴論です。

共通紀元では

さて、国外記録がある例として、日本書紀巻第十の応神天皇の項を見ます。

八年春三月、百濟人來朝。（中略）是以、遣王子直支于天朝、以脩先王之好也。

「応神八年春三月に百濟人がヤマトの朝廷に来た。（中略）王子の直支を派遣して、（ヤマト王朝に対する百済）王の好意（服属）を表した」という意味です。神武の即位からそれに続く天皇たちの在位期間を加えていくと応神の即位は共紀二七〇年になるそうです（ウィキペディアの「上古天皇の在位年と西暦対照表」）。だからその「八年」は**二七七**年（丁酉）と計算されます。これに対応する外国史料は高麗で作られた『三国史記』の「百済本紀」にあって、「夏五月に阿莘王は倭国と友好関係を結び、太子の腆支王を人質として倭に送った」という内容です。半島での古代の出来事は中国でも記録されることが多いために両者の年代の重ね合わせは容易です。したがって日本の記録よりも正確に共紀に読み替えることができるのです。ところがこの記録に基づけばこの「夏五月」は**三九七**年（丁酉）になって、日本書紀より百二十年あとのことです。次の例として、応神の一代前に当たる神功皇后の項（巻第九）には「五十五年、百濟肖古王薨」があり、百済本紀の「近肖古王」の三十年には「冬十一月　王罷」があります。神功五十五年は共紀二五五年、近肖古王三十年は三七五年です（どちらも乙亥(いつがい)）。この場合も干支は一致しているのに、日本書紀のほうが百二十年（干支の二巡分）古くなります。

応神天皇の代から神功皇后の代へ遡っても百二十年の差があるのですから、三代前のヲシロワケについても同じほど古く見積もられている可能性がありそうです。日本書紀に基づいて算出されたその在位期間は共紀七一年から百三〇年までで、それぞれに干支の二巡分を加えてみると一九一年から二五〇年になります（日本側の一年を三百六十五日として計算します）。すると朝倉と吉田のいう一九五年と二四三年（「ヲシロワケ時代の推定」）がこの期間に入ってきました。これは偶然の一致かもしれませんけれど、そしてまた共紀三百年代後半とされる「いわゆる景行天皇陵」の築造とはまだ百年余りの差が残るのですけれど、ヲシロワケの時代は共紀二百年代の前半だとみなしたくなります。それはもう、弥生時代の末期です。

弥生時代末期

このころの出来事を年表で探してみますと、「倭の邪馬台国の女王卑弥呼、魏に遣使。親魏倭王の金印を授かる（二三九）」、「卑弥呼、魏帝に貢物を贈る（二四三）」、「魏帝、倭国の大夫難斗米(なとめ)に詔書・黄幢(こうどう)を与える（二四五）」、があります。その後には「倭の女王壱与(いよ)、晋に遣使（二六六）」もありました。なお黄幢とは魏の軍旗のことです。

第2章（1）の「＊奈良時代までの妄想」でも触れた園田豪は、日本書紀で行われた歴史改竄の操作を推定しています（『人麻呂の暗号と偽史「日本書紀」』）。その推定の表の中では十一代垂仁天皇の項に「倭姫（やまとひめ）が卑弥呼（日巫女）として魏に使者を送ったことなどを隠す」と書かれているけれど、小説『太安万侶の暗号（三）』本体の中では難斗米の旅行（共紀二三九年）を天皇がヲシロワケになってからのことにしています。この二三九年も、三国史記を参考にして読み替えたヲシロワケの在位期間（一九一～二五〇）の中に入っています。園田の仮説もヲシロワケの在位が共紀二百年代の前半であろうという想像とは矛盾しません。重ねて申しますとこれは弥生時代の末期でありまして、見方を変えれば古墳時代が始まる時期ともいえるのです。

　ホツマツタヱには、イクメイリヒコ（垂仁天皇、ヲシロワケの先代）が異母兄ヤマトヒコの墓の周りに首から上を出して生き埋めにされた近侍の者たちの悲惨を見聞きして、自分の后ヒハスヒメの死に際しては従者を殉死させる習慣を破って、彼らの頭の代わりに粘土を焼いて作った「ハニワ」を並べた（ノミノスクネの献策）、と記されています（37―7～12）。「埴輪」といえば古墳時代の象徴です。この記述もヲシロワケを古墳時代が始まる頃の人物とみなしているのです。日本史の時代区分表で見ると「古墳時代」は「三世紀中頃～七世紀頃」と書かれていて、これは「弥生時代」と「飛鳥時代」のあいだを指す術語のようです。とにかく共紀二百年代の半ばからはもう古墳時代と認識されているのです。ヲシロワケに捧げられた文書で使われているヲシテは古墳時代の少なくともはじめ頃までは有効だったと考えねばなりません。

ところで、平成二十四年の暮に新発見されたミカサフミの「ワカウタノアヤ」を紹介し解説する著作として、池田満は『よみがえる縄文時代　イサナギ・イサナミのこころ』（展望社、二〇一三）を刊行しています。ここではヲシテ文字を「縄文文字」だと主張しているわけではありませんから何の問題もありません。ただそういう誤解を与えかねないという、この点には僅かな危惧を感じます。ヲシテ文字を「縄文文字」だといえるかどうかは、その「成立期」が縄文時代か否かにかかってくることになると思うからです（＊）。

＊日本列島史の見直し

日本人や日本語のルーツを研究している斎藤成也（なるや）は、現代人はもちろんのこと、遺骨から得た過去の列島人のデオキシリボ核酸（遺伝情報物質、ＤＮＡ）も分析しています。若い人へ向けた著書『日本列島人の歴史』（岩波書店、二〇一五）では、「日本列島人形成の三段階渡来モデル」を提唱していました。それによると約四万年前から四千年前くらいのあいだに日本列島の「北部」（北海道以北）、「南部」（奄美諸島以南）、「中央部」（本州、四国、九州が主体）のそれぞれに「別個の」集団（出身地は不明）がやって来たといいます。これが渡来の「第一段階」に当たります。この時代に東北地方以外の人口密度は低かったらしいうえに、狩猟採集民といっても後期旧石器時代から竪穴式住居をもつ半定住的な生活をしていた人々ですから、四千年前までの約三万年間にどれほど遺伝子や言語の共有が進んだのかはよく分かりません。

渡来の「第二段階」は四千年前（共紀前二千年）から三千年前（共紀前千年）くらいまでの一千年間で、ここではもっぱら「中央部」の南に中国の黄海沿岸にいた人々が渡ってきたとしています。彼らが長江（ちょうこう）（揚子江）流域で発達した水稲栽培技術をもち込んだ可能性は低いでしょう。「南稲北粟（なんとうほくぞく）」という成句があるように、中国文化の主流とされる「黄河文明」に水稲栽培は含まれないからです（これを知ると伯夷（はくい）・叔斉（しゅくせい）の「周の粟（ぞく）を食（は）まず」の一句が納得されます）。黄河文明の影響が強い朝鮮半島の最古の水田跡は、日本のものより新しいそうです。また温帯ジャポニカ米の遺伝子（RM1）の多型で見ると、日本の主流が中国で最も多いb型であるのに対して、朝鮮半島ではこのb型が存在せずにa型（中国で二番目に多い）が主体であることも確認されています。

渡来の「第三段階」は前半と後半とに分けられています。「前半」は約三千年前（共紀前一千年）から約千五百年前（共紀五百年）に当たり、この時期は「中央部」についていえば縄文時代の末から古墳時代を含みます。中国南部からやって来たこの大量の移住者こそ「長江文明」の中で育った人たちで、この文明には稲作のほかに養蚕や機織りの技術も含まれています。第三段階の「後半」はそれ以後（共紀五百年以降）の現在にまで続く時期で、第一段階の渡来者の子孫はほとんどが「北部」へ追いやられてしまいました。一方、「南部」に残っていた人々は第二、第三の渡来者と混血していったのです。これが最近のデオキシリボ核酸の分析結果に基づく「三段階モデル」の概略です。なお斎藤は、モデルの説明に縄文時代や弥生時代など従来の名称を避けて自身が考案した新名称を使っています。

第一段階のはじまりを四万年前とするのは、その頃の「地層」から石器が出土しているからだといっています（前期旧石器捏造事件の鍵は「地層で判断」でした。しかしこれは後期旧石器の話ですから素直に受け取ることにします）。ホツマツタヱの舞台である「中央部」に縄文的な厚手の土器が最初に現れるのは約一万六千年前の青森県でした。縄文集落には防衛の意識が見られません。弥生時代の集落が襲撃に備えた（？）環濠で囲まれているのと対照的なのです。本格的な水稲栽培の始まる前を縄文時代とみなすのが一般的な考えなので、これに従うと三千年ほど前まで日本列島「中央部」にいた人々はすべてが「縄文人」だということになります。

縄文時代後期の約一千年間（四〜三千年前）に第二段階の渡来があったという推定は、日本人と中国人のミトコンドリア（呼吸を司る細胞内の小器官）に局在するデオキシリボ核酸（細胞核にある核酸よりも桁違いに短いのでこれまた桁違いに扱いやすく、また母系系譜をたどることにも向いています）の解析から導かれた仮説でした。この渡来者たちはおそらく九州北部に上陸したのでしょう。この時代の「中央部」は産地の限られた黒曜石やヒスイの出土具合から判断して、交易路がかなり発達していたと思われます。それなのに第二段階の渡来者は「北部」や「南部」はもちろん、「中央部」の北半分や南端にも遺伝的影響を及さなかったそうです。

『日本列島人の歴史』の末尾で斎藤は、「わたしは、三段階渡来モデルのなかの第二段階の移住者こそ、原日本語を日本列島にもたらした人々ではなかったかと考えています。この仮説に従えば、それ以前の日本列島で話されていた言語の大部分は原日本語に置き換わってしまい、唯一アイヌ語が、ヤポネシア時代（地域ごとに年代が異なる縄文時代だと思ってください：上領）のきわめて古い時代からの言語の系統を残している可能性があります」、と書いていました。これはほぼ四千年前の中国大陸で大規模な人口減少があったという遺伝子データに基づく推論です。大きな戦乱などで生存を脅かされた人々はその地を離れて移動するでしょう。それが難民です。すると移動先にされた地方が過密状態になって、移住者にせよ先住者にせよ地方ごとにたまたま弱い立場になってしまった人たちが追い出されて、複雑な難民移動の連鎖が起こるはずです。その結果として日本列島に行きついた人々が「第二段階」の移住者だという次第です。

大型の縄文土器は重たくて急な移動には向いていませんから、これが作られていた社会はある程度安定していたことを想像させます。日本列島の「中央部」は一万数千年前にすでにそのような状況になっていたのです。「原日本語をもたらした人々」について斎藤自身は「朝鮮半島、遼東半島、山東半島に囲まれた沿岸地域およびその周辺」と書いていました。彼らは日本列島に着く前に朝鮮半島を迂回しなければなりません。上陸して半島を移動した集団があってもいいのですから朝鮮系の人々も混じっていたでしょう。そういう人々はたとえ青銅の武器を携えていたとしても組織的な侵略部隊ではありません。いってみれば烏合の衆です。だから在来語のすべてが、避難民たちそれぞれの使う雑多な言語のどれか一つだけに置き換わったとは考え難いことです。この大量の渡来民に対して危機を感じた先住者たち（第一段階の移住者）が、交易用の言語を共通語（原日本語）に発展させていったという可能性は捨てきれません。

とにかく第二段階の大量渡来者の出現をきっかけにしてでき上がった原日本語（ヲシテ語？）には文字がなかったとしましょう。しかし中国北部での漢字体系の完成は三千三百年前で、三千六百年前には議論の余地にない文字の証拠があるといわれています。第二段階の渡来者が「ことば（意味、意思）は、声だけでなく、二次元的な視覚表現（図形、文字）でも伝えうる」という見聞をもたらした可能性は否定できません。この通報者が漢語に堪能でなければ、「ことばは、図形（文字）を使っても伝えられる」というアイディアだけが伝来したことになります。

ヲシテ文字を染める

三千年くらい前のホモ・サピエンス（賢いヒト）を考えれば、その集団に「ことばは図形を使っても伝えられる」という情報がもたらされたとき、誰かがそのアイディアを自分たちのことばに適用しようと試みたという筋書きはあり得ることです。縄文人もホモ・サピエンスです。渡来民がもち込んだ情報から文字を作ろうという機運が出てきてもいいでしょう。ここでは約三千年前までに、少なくとも日本列島の「中央部」の権力集団の周辺ではヲシテ語が共通語として使われていたという立場をとります。山や川など地勢に関することばを比べてみたときに、北海道の特殊性が際立つので（川の名に「ナイ」や「ベツ」がつくことはよく知られています）、これが逆に「中央部」の言語的な一体性を感じさせるからです。文字ができれば地方ごとの口承（こうしょう）が文書化されて、それを互いに取り込み合うことも可能になります。ホツマツタヱには、アマテルの孫の代から始まる兄系朝廷のナガスネヒコが弟系朝廷の文書蔵に納められた重要文書を盗み写す挿話がありす（28―101〜103）。ホツマツタヱはこの事件がタケヒト（後の神武）に「東征（ヤマトウチ）」を決意させたと書いています。文字で記された文書がなければ成り立たない挿話です。その文字は漢字ではありません。

一方、ホツマツタヱの中でことばを染め記すという行為が最初に出てくるのは、ワカヒメ（ヒルコヒメ）がアチヒコに恋のウタを送る話です（1―23〜25）。

・・・・・　タマツノヲシカ
アチヒコオ　ミレバコガルル
ワカヒメノ　ワカノウタヨミ　（ワカノウタは若々しいウタ、恋のウタ）
ウタミソメ　オモイカネテゾ
ススムルオ　ツイトリミレバ
キシイコソ　ツマオミキワニ　（ツマ、伴侶）
コトノネノ　トコニワキミオ　（ワキミオ、わが君を）

マツソコヰシキ　　　　　（コヰシキ、恋しき）

ワカヒメはアマテル（八代アマカミ）の実の姉で、稲田にはびこった害虫をウタで退散させたと書かれているほどの女性です。相手のアチヒコはのちに左の臣（とみ）になった有能な若者なのです。第一句は「使者としてやって来た」くらいに受け取ってください。五行目末句の「ツイトリミレバ」は「つい取り見れば」でしょうから、その前の「ウタミソメ」は「何かに染めた」で間違いなさそうです。「ウタミ」は、「ウタエ」や「ウタフタ」、「ソメフタ」とも言い換えられてホツマツタヱのいろいろな箇所に出てきます。「オ」と「ヲ」の使い方が現代語とほぼ逆であることを知っておけば解読できるでしょう。最後の三行がワカヒメの詠んだ「マワリウタ（回文の歌）」です。第三句の「ネ」が中心点で、「イ」と「ヰ」は同音として扱われています。これが特殊例でないことは第3章（2）の「＊三文字の例外」）でも示しました。

さて、「染める」の意味を友禅染のように複雑な工程と結びつける必要はありません。万葉集は「柿本人麻呂歌集にある」としてこんな歌を載せています（巻七、一二五〇）。

妹がため　菅（すが）の実摘みに　行きし我れ　山道（やまぢ）に惑ひ　この日暮らしつ

牧野富太郎は『植物記』の「万葉集スガノミの新考」で、

真鳥(まとり)棲む　雲梯(うなて)の杜(もり)の　菅の根を　衣(きぬ)にかき付け　着せむ子もがも（巻七、一三四四）

を引きつつ「菅の『根』」は落葉低木、「ガマズミの『実』」のことだと書いています。「妹がため」

の歌は、妻（恋人）が無地の衣に赤い色で好みの柄を描けるだけ十分な実を集めようとして山道に迷ってしまった、という意味です。他の色に染める材料もあったことでしょう。布に（細い線もある）柄を染め出すこと自体は慣れさえすれば誰にでもできる作業だったのだと推測します。

記録媒体としての絹布

ウタはともかく、長い文章を何に染めたかといえば絹の布でしょう。紙はまだないはずです。養蚕や機織りの技術が導入された時期を弥生時代（斎藤説では渡来の「第三段階」）とすれば、日本列島「中央部」でも三千年前よりも前には絹布がなかったことになります。そうであるなら縄文時代にはヲシテ文字を染め記せなかった理屈です。しかし実際はそうでもなさそうです。まず縄文人は「布」を作っていました。縄文前期を含む遺跡から出土した布片や布の押し跡のついた土器に触発された尾関清子は、古代日本女性の衣服を復原しています。彼女の『縄文の衣―日本最古の布を復原』（学生社、一九九六）によると、その布を正確に表現すれば現在「越後アンギン」として継承されている「編布（あみぎぬ）」であって、その素材はカラムシなどイラクサ科植物の茎の繊維だったそうです。編物であっても布とされる物は今もあります。「メリヤス」とよばれる伸縮性に富んだ布は編物（ニット）なのです。

編み方は簾（すだれ）や筵（むしろ）と同じタイプの槌（つち）の子（こ）編みで、尾関らが復原した手軽な編み道具を使うと「織物」の基本である平織も容易にできたそうです。もっとも草の繊維で織った布が文章になるほど多数の文字を書き記す媒体に適しているとは思えません。適している物といえばやはり絹布でしょう。絹糸を吐く蚕（かいこ）はふつう人為的に飼育されます。養蚕技術は長江文明の一つですけれど日本列島には第三段階の渡来前にも絹糸があったらしいのです。中沢隆の「カイコガの種で見る日本の古代養蚕史—古代の文献史料から家蚕と天蚕を読み取る」（奈良女子大学「考古学」第9号、二〇一七）にそう書いてあります。

中沢は日本書紀の「口裏に繭（まゆ）を含み、すなわち絲（いと）を抽（ひ）くことを得たり」という箇所を引用して、湯を使う中国の方法とは違う、日本独自の糸繰り法だと述べています。日本書紀の原文には「神代上」の素戔嗚が生まれたあとに続く「一書曰」の最後（十一番目）で、「又口裏含繭、便得抽絲、自此始有養蠶之道焉」とありました。おそらくここはホツマツタヱにある次の二十四文字（15—29〜30）を写したのでしょう。

・・・・・　　マタマユフクミ

イトヌキテ　　コカヰノミチモ

ヲシユレハ　　・・・・・・

「教えた」のはクニトコタチ（初代アマカミ）の直系の孫に当たるウケモチ（食物などを司るカミ、本来は職名）で（15―20）、日本書紀では「保食神」と訳されています。「コカイ」は「養蚕」を連想させますけれど、絹糸の材料になるのは中国で家畜化された家蚕（かさん）（カイコガ、淡い茶色の混じった白色で広げた羽の幅は四センチメートル余り）の繭だけではありません。野生の天蚕（てんさん）（ヤママユガ、多くは蛇の目紋のある枯れ葉色で羽の幅は十数センチメートル）の繭も丈夫な絹糸の原料になるのです。

中沢の話に戻ると、彼はその繭を中国産の家蚕の白繭ではなく、日本在来の天蚕の薄緑色の山繭だと想定しています。家蚕の幼虫は木の枝もつかめないほどに家畜化されていて平らに置かれたクワの葉しか食べられないから、蚕棚で飼育（養蚕）をしなければ繭が得られません。これに対して天蚕の幼虫は自力で枝につかまってクヌギやコナラ、カシワその他の木の葉を食べるので飼育に労力をかけずに山繭を集めることができるのです。「コカイ」は、そういう原始的、粗放的な「養蚕」を指していると見れば、「マタマユフクミ」も含めて中国南部からの技術導入を必須条件としなくてもよさそうです。天蚕生糸で織られた絹布にならなら、かなり細かい文字を染め記す（どういう手段かは不明）ことが可能に思えます。中沢は魏志倭人伝に出てくる、金印などに対する卑弥呼から魏への返礼品の中にある「絳青縑（こうせいけん）」を、この絹糸を使った絹織物だろうとも考察していました。絳青縑の「絳」はベニバナで染めた桃色、「青」は天蚕繭の草色で、「縑」は固く織った絹織物の意味です。ここでは編布を指している可能性もあります。とにかくヲシテ文字で記録を残すことを、三千年前より古い時代でも不可能だとは言い切れません。

重要な保留

だからといってヲシテ文字を「縄文文字」と表現することは慎みます。『縄文人のこころを旅する』（展望社、二〇〇三）や『ホツマ縄文日本のたから』（同、二〇〇五）、『よみがえる縄文時代　イサナギ・イサナミのこころ』（同、二〇一三）と、著作の題に好んで「縄文」を加える池田もヲシテ文字を「縄文文字だ」とは断じていません。日本列島ではヲシテという言語が、水稲耕作の導入される前（斎藤仮説の用語に従えば「ヤポネシア時代」、すなわち列島への「渡来の第三段階」の前半がはじまる三千年前よりも前）から、使われていた可能性はあると思います。斎藤は日本列島への第二段階の移住者のもち込んだ言語が、それ以前の日本列島各地でばらばらに使われていた諸言語を駆逐して「原日本語」になったと考えていました。

しかし第3章（2）の「新資料に出会う」で書いたように、ヲシテのウタと古今和歌集の和歌のあいだがこれほど緊密だと分かってくると、弥生時代末期に使われていた「ヲシテ語」と平安時代初期の「日本語」のあいだに断絶はなさそうです。ここで斎藤成也のいう「原日本語」をヲシテ語ではないと仮定するなら、その原日本語が弥生時代の中頃までにヲシテ語で置き換えられたという複雑な筋書が必要になって、これは「オッカムの剃刀（思考節約の原理）」に反します。逆に斎藤の「原日本語」をヲシテ語（かその先祖）だとすると、その起源は韓半島を含む黄海沿岸に求めなくてはなりません。しかし日本語（族）は孤立した言語だという定説があるので、今度はその祖先語が完璧に消滅したという新しい仮定が必要です。「夢想」ながら、「第一段階」の渡来者たちの言語が「第二段階」の渡来を機に共通化されて「ヲシテ語」に発展したとすれば、ストーリーはずっと簡明になります。それが完成する前に漢字文化の侵入を受けたことが、日本語にとって（完成が阻まれたという意味で）不幸だったのでしょう。

とにかく（薄手の）弥生土器の出土で定義されていた「弥生時代」が「水稲耕作の時代」のような感じで語られるようになった今日、（厚手の）縄文土器に結びつけられている「縄文時代」と共にいったんその名称を返上して、別な呼び方にしたほうが日本史の時代区分の目的に適うという斎藤の提案は傾聴に値します。それを考えると、この時点でヲシテに「縄文言語」や「縄文文字」の名を使うことは当分保留にしておくべきだと思います。

第5章　ホツマツタヱについての疑問

成立の経緯と要点

ここは松本善之助の推理（『ホツマツタヱ発見物語』の「日本古代学・事始め」）も参考にしながら説明します。ミカサフミとホツマツタヱの編纂は、世継ぎと定める前に死んでしまったコウスの遺言（ノコシフミ）に触発されたヲシロワケが、ヲヲカシマとヲヲタタネコに命じたそうです。その「コウス」とは、クマソを退治して「ヤマトタケ（日本書紀ではヤマトタケル、日本武尊）」と名乗るようになった、双子の兄弟の弟のことです。松本は、ヲシロワケがヤマトタケの死後、ワカタリヒコを世継ぎと定めたあと（アススコヨミ八三八年以降）に編纂の勅命を出したのだろうと推理していました。そうであればヲヲカシマとヲヲタタネコの奉呈が同八四三年の秋ですから、執筆期間はアススコヨミで五年足らずになります。もしもアススコヨミが三百六十五日を二年と数えていたら二年余りです。いずれにしてもごく短期間に書きあげられているのだから、ヲシロワケやヤマトタケが関わる直近のことは自作だとしても、多くはそれ以前にあったより古い文献を利用したのだろうという推理です。そして、松本はホツマツタヱに使われているとして十四種類の「フミ」を挙げていました。

クシミカタマが書いた前半の二十八番までのアヤの本質は、とにかく八代アマカミのアマテルを特別に偉大な人物として描きあげることと、十代アマカミのときから始まるトコヨクニ（ヒノモト、ヤマト）の内部分裂をホノアカリ（兄）とニニキネ（弟）による合意の上の「二朝並立」のように装うことです。兄に跡取りが生まれなかったために弟の長男（ムメヒト、これもホノアカリとよばれることがあるから混乱します）の長男（クニテル）が兄系の朝廷を継ぎます。こうなるとアマテルの正統な後継者は一体誰と見なせばいいのか簡単には分かりません。仮にまったく別の家系の誰かをどこかに潜り込ませてしまえば、その「誰か」はそれなりに正統性を主張できそうです。逆にいえばアマテルの直系の子孫が、その「誰か」に滅ぼされてしまってもアマテルの血統は守られていることになります。「兄弟は他人のはじまり」といいますから、赤の他人を文章の上で弟とすることもあり得るでしょう。

大政変の隠蔽

クシミカタマによる二十八のアヤまでは退位したアマテルが健在なので、二十九アヤ以降を書いたヲヲタタネコはアマテル亡き世を担当したことになります。そこには「二朝並立」では表現しきれない殺伐な抗争があったはずです。なぜならタケヒトは弟系朝廷の十二代アマカミであるウガヤフキアワセズの四男とされているのに、ミヤサキ（日向地方らしい）から兄系朝廷の本拠地アスカのミヤ（奈良盆地南辺）へ向かって「ヤマトウチ（東征）」をするのですから。養子の子であるクニテル（ニギハヤヒ）にもなかなか跡取りが生まれなかったために、その左の臣（とみ）であったナガスネヒコが弟系朝廷の文書蔵に入って「ヨツギフミ」を盗み写しました。東征の大義名分はその罪を正すということです。二つの朝廷が「仲よく並立」ならばそんな事態にはならないでしょう。この盗写事件をクニテル討伐の大義に掲げたタケヒトとは何者なのか、とても気になります。キミには十二妃（そふきさき）がいるはずですし、クニテルのような養子を迎えてもいいのですから世継ぎができないという理由は争いの真の原因を隠すウソとしか思えません。

　とにかくタケヒトは三十番目のアヤの表題にもなる「ミヤコトリ（首都奪取と都鳥の掛詞）」を果たしました。そこで即位になるのですけれど、その称号は父親の代まで使われていた「アマカミ」ではなく新しい「スヘラギ」なのです。二朝並立状態を解消した（元に戻した）だけなら称号を変えることが必然にはなりません。そうでなければ（皇統簒奪などであれば、おそらく）必然です。タケヒトは系図上の大叔父の子であるクニテルを屈服させると共に（29—58～59）、父親であるはずのウガヤフキアワセズまで続いてきた権威を否定したのです（30—12）。コヨミさえ変えてしまいました。タケヒトは「二朝」とは別家系の「誰か」のように思われてなりません。ここに至るまでには「関ケ原の合戦」や「壬申の乱」に匹敵する大戦争があって然るべきです。

タケヒトからミマキまで

三十一のアヤは即位後の初代天皇神武から六代タリヒコクニ（孝安）まで、三十二のアヤは七代フトニ（孝霊）から九代フトヒヒ（開化）まで、と一気に進みます。ほとんど妃たちと彼女らが産んだ子供のことで済ませているからです。次の三アヤは十代ミマキイリヒコ（崇神）に充てられています。三十三のアヤで重要になるのが過去の偉人たちの精神を象徴するミクサタカラ（三種神器）です。すなわちクニトコタチは「マガリタマ」、アマテルは「カガミ」、クシミカタマは「ツルギ」でそれぞれ表象されます。アマキミの位に就いた者は常にこれらをその身と同室に置かなければなりません。ところがミマキイリヒコはそれを自分には「畏れ多くて不安になる」という理屈をつけて別のミヤに祭ることにしてしまいました（33―8～12）。そしてあろうことかそれらの複製物を作らせて、これ以降のカンタカラ（皇位の象徴？）と決めました。「畏れ多い」どころか、「トコヨクニ以来の伝統など無視する」と宣言したことに等しい行為です。彼がアマテルの後継者だとは思えません。複製を作ったのは二重の裏切り行為です。

三十四のアヤでは疫病による人口の半減、理由不明なタケハニヤスの反乱、朝鮮半島にミマナ

（慶尚南道の沿岸部？）という傀儡政権を樹立、ミマナとシラギの抗争への介入、イヅモの内紛に乗じた征伐、四方の残党の平定と、再び殺伐とした状況が描かれます。三十一と三十二のアヤはタケヒトである神武天皇と、実在が疑われている「欠史八代」の天皇たちに関する駆け足での記述でした。この「八代」を抜かしてしまうとタケヒトとミマキが直結することになります。もしそうならば「ミヤコトリ」を行った人物がミマキである可能性も出てきます。そしてこの二人の類似性は以前から指摘されているのです。日本書紀は神武（タケヒト）の美称として「始馭天下之天皇」を使い、崇神（ミマキ）にも同音の「御肇國天皇」を当てているからです。ただし古事記では、崇神に対してだけ「所知初國御眞木天皇」です。これについては諸説があります。しかしここで大切だと思うのは別なことです。

「ハツクニシラス」

ホツマツタヱで「ハツクニシラス」が出てくる場所では、天下や国内を初めて支配するとか統治するという意味からは遠いのです。引用します（34―24）。

ミツキトメ　タミニギハセテ　（ミツキ、貢で租税？　次行のソロは収穫）
ソロノトキ　ナオリテヤスク　（ナオリテ、流行した疫病が治まって？）

コノミヨオ　　ハックニシラス
ミマキノヨ　　タミタノシメバ

とにかくヲシテ文には掛詞が多用されていますので単純には理解できませんけれど、（戦乱で疲弊したから？）租税免除がなされ、疫病も去ったために生活が（少し）楽になったこの時代を、（民が）「ハックニシラス　ミマキノヨ」だと言った、というくらいの感じかと思います。決してミマキイリヒコに「ハックニシラス」スメラミコトの名を奉ったのではありません。そもそも「ハツ」ということばが「ハッヒ（元日）」のように「最初の」という（形容詞の）形で使われることは確かですけれど、「ハックニシラス」を「肇國（国を始める）」とか、「知初國」とかの漢字に翻訳していいのかどうか、とても疑わしいのです。ここが解決しなければタケヒトとの同異を論じることもミマキ自身の事跡を評価することも困難になってしまいます。そもそも民衆（庶民）が、「（今は）何々さまの御代だといって囃した」という話からして信用がなりません。

この（三十四の）アヤの結びの一節（34―67～68）も異常です。

コノキミハ　　カミオアカメテ
ヱヤミタシ　　ミクサタカラオ　　（ヱヤ、疫病）

アラタムル　ソノコトノリハ　（コトノリ、詔（みことのり））
オホヒナルカナ

「カミオアカメテ」の「カミ」はクニトコタチやアマテルのはずです。彼らを崇めるといいながら「ミクサタカラオ　アラタムル」、すなわちアマテル以来キミたる者は常に身近において己の心を戒めなくてはいけない三種神器を捨ててニセモノに置き換えたのです。「別の宮に祭った」というのはことばの綾で、その時点でなら「山の中の掘立小屋にぶち込ませた」というほうが実情に近いかもしれません。その勅令を「オホヒナルカナ」と讃えて「万世一系」を装うあたり、著者のヲヲタタネコはなかなかの曲者です。

イクメイリヒコの時代

三十五番目からの三アヤはマキムキ（纏向（まきむく）、アスカの僅か北東）に遷都したイクメイリヒコ（十一代垂仁）の治世を語っているはずなのに、それが暗示的なためなのか雑多な挿話の連続のようで脈絡が取れません。シラキ（新羅）の王子ヒホコ（天日鉾（あめのひぼこ））の帰化から始まって、第4章の「消えたホンツワケ」の項で書いたサホヒメからホンツワケに至るごたごた劇や埴輪のはじまりなどが書き込まれ、相撲の起源、そしてタシマモリのトコヨ行きの話を経て、ヲシロワケの時代に入っていくのです。しかしヒホコの来日は「ムカシ」で済まされてその時代は霧の中です。それなのにヒホコからタシマモリまでの系譜だけは克明に書かれています（35―14）。

アメヒホコ　　モロスケオウム
モロスケハ　　ヒナラギオウム
ヒラナギハ　　キヨヒコオウム
キヨヒコハ　　タシマモリウム

次に紹介するタシマモリ（田道間守）はヒホコの四代あとの子孫（玄孫（やしゃご））です。ホツマツタヱが述べるキミ（アマカミもスヘラギも）は妙に長寿ですから推理は簡単でないけれど、ヒホコの帰化は欠史八代の誰かの時代になるはずです。その誰か分からない時代から朝鮮半島と関係する話が頻繁に出てくるのです。遡ってみると、ミマキイリヒコ（十代崇神）はキヒ（敦賀（つるが））の海岸に漂着したカラクニ（加羅国）の王子ツノガアラシトを保護して自分の名前に通じる「ミマナ」の名を与えて帰国させ「ミマナ（任那）」を建国させています（34―38）。そしてミマナとシラキの紛争にも関与するようになるのです（34―44～49）。ミマキと韓半島の関係は不可分です。逆にミミマキがミマナに由来する可能性もないとはいえません。

タジマモリの派遣

イクメイリヒコに戻ってその晩年（百三十歳、百三十九歳で没）、唐突にヒホコが持参した「タカラモノ」を見たいと言い出します（37―41～42）。それでヒホコの曽孫に当たるキヨヒコがタシマ（但馬）に出向いてもち帰りました。しかし大きなことは起こりません。これを次のタシマモリ（キヨヒコの子）に下す勅命（37―48～49）の伏線と見なすには、話の運びが大げさすぎると感じました。ホンツワケの場合と似ています。

・・・・・　コソホキサハヒ
ミコトノリ　カグオモトメニ
タジマモリ　トコヨニユケヨ
ワガオモフ　クニトコタチノ
ミヨノハナ　・・・・・・・

第一句のコが数詞を示す字体なので、「コソ」は九十となります。「ホ」は春、「キサ」は二月を意味するそうで、「ハヒ」は太陰暦一日のことでした。その先は容易に「勅命は、カグを求めにタジマモリ、トコヨに行けよ」と読めるでしょう。日本書紀ではここを、「九十年春二月庚子朔、天皇命田道間守、遣常世國、令求非時香菓。香菓、此云箇俱能未　今謂橘是也」としています。これを読み下すとしたら、「九十年の春キサラギカノエネのツイタチ、スメラミコトはタジマモリをトコヨの国に遣わし、トキシクの香菓を求めさす（香菓はカグの実という）。今いうタチバナこれなり」くらいだと思います。ただしホツマツタヱにある「ワガオモフ　クニトコタチノ　ミヨノハナ」という「カグ」への説明の三句が消されています。「ハナ」がついているのですから「カグ」はタチバナの「樹」であるはずです（ハナには華、精華すなわち神髄の意味も掛けられているでしょう）。しかしこの十七文字を消してしまうとカグを「トキシク（カグと同義）の香菓」すなわち香り高い果実に書き換えることが容易になります。古事記でもここを「登岐士玖能迦玖能木實（ときじくのかくのこのみ）」と書いています。トコヨクニ建国の徴としてクニトコタチが植えたカグノキが「不老不死をもたらす果実」にされているのです。「トコヨ」はクニトコタチとの縁が深いタガのミヤ（多賀城址がある仙台市の僅か北東）のことであるのに、漢字の「常世」にするとたちまち中国の道教思想に通じる「蓬萊島」になってしまうためです。蓬萊とは、中国のはるか東の海上にあって仙人の住む不老不死の霊地のことですから、小学唱歌では「万里の海をまっしぐら」なのです（＊）。

＊お菓子の神さま

敗戦直後まだ現実の菓子など夢物語でしかなかった頃に、「お菓子の神さま」の歌を教えてもらいました。細かな歌詞など忘れましたけれど、「タジマモリ、タージマモリ」というリフレインは記憶に残っています。そのタジマモリがヒホコの玄孫だったわけです。この歌は昭和十年代の国定教科書「小学唱歌」に載っています。忠臣タジマモリが香り高いタチバナを求める旅に出て、それを船に積んで万里の海を越えて帰ってきたという内容です。この物語は記紀にも採られているから「唱歌」の材料にされたのでしょう。

新羅からの帰化人の四代もあとの子孫が「日本人の」天皇（ミマキイリヒコの子であるイクメイリヒコ）にかくも忠誠をつくしたのだ、と感激させる説明もあります。さてどうでしょうか。ミマキはタケヒトがいなければ（神武を創作しなければ）、戦乱で民を疲弊させた以外は、韓半島と外交を結んだくらいしか事績がないのに、「オホヒナルカナ」と讃えられている天皇です。もしミマキが半島出身者なら（新羅人とは限らなくても）、「半島との外交」など結ぶまでもありません。タシマモリの忠誠も至極当然のことになります。第2章（1）の「＊奈良時代までの妄想」で触れた「偽史作成のポイント」で園田豪は、崇神天皇（ミマキ）の項に「神鏡、神剣と同床同殿できないことで、正当な継承者でないことを暗示」と書き、彼を百済の出身者だと推理していました。まぁそれはともかく、「田道間守」の歌詞だけは紹介しておきましょう。

一　香りも高い橘を／積んだお船が今帰る／君の仰せをかしこみて／万里の海をまっしぐら／今帰る／タジマモリ／タジマモリ
二　おはさぬ君のみささぎに／泣いて帰らぬ真心よ／遠い国から積んで来た／花橘の香と共に／名は香る／タジマモリ／タジマモリ

カグとトコヨ

タシマモリがもち帰った物はタチバナの完全な樹木が四本、根元だけが四株、そしてタチバナの果実が二十四籠でした（37―51）。ですから「トキシクの香菓を求めさす」は誠に巧妙な誤訳なのです。アマテルを素戔嗚に「姉」とよばせて女神の天照大神にすり替えてしまったあの手口が、ここでも使われています。でもそこはもうよろしい。重要なことはミマキの息子であるイクメイリヒコが父親の捨てたはずのトコヨクニの精神（精華、神髄）を崇敬している、それを規範にしようとしているように見せかけていることです。そうすることによって、クニトコタチの（すなわちアマテルの）血脈がこの時代まで続いているように装っているのです。トコヨが東北地方（ヒタカミ）のことだという点はタシマモリが殉死する前にイクメイリヒコへ書き残した「ノコシフミ（遺言）」で確かめられます。タシマモリはカグを得るためにタチバナモトヒコの家に逗留していて、そこの娘であるハナタチバナヒメを妻にしたと書いています（37―55～56）。モトヒコはムキマキのミヤ（奈良盆地）から見てヒタカミに近いホツマクニ（関東地方の南側半分ほど）を治めている地方長官（地元の豪族）です。

三十七アヤまでには露骨な表現がありませんけれど、そのあとからのヒタカミは「エミシ（蝦夷）」として蔑まれるようになります。ヒタカミこそ「タカミムスビ」（これは職名、初代はタノミコト）が治める、まさに「クニトコタチノ　ミヨノハナ」が保たれている土地なのです。ところが次の世代になると九州のクマソと同列のエミシとされてヤマトタケに征伐される対象になってしまいました。これはヒタカミが変わったのではなく、マキムキにいるミヤコの主が変質していたからだとしか考えようがありません。

ヲヲタタネコに貶されたヲシロワケ

三十八アヤから最後の四十アヤまではヲシロワケ（十二代景行）に充てられているにもかかわらず、彼自身についてはきわめてみみっちくて汚い手口で敵に勝つ話が専らです。ツクシ（九州中央部の意味）の平定に出かけても、相手はツチグモ（土蜘蛛、野盗や山賊）の類ばかりのように書かれています。決してホツマクニのモトヒコのような由緒ある家系の当主ではないのです。そのうえ戦いのほとんどが騙し討ちで、頭目を討った後はその配下の者どもを皆殺しにするのです。一番ひどいのは最大の目的であるクマソ討伐の場合です。クマソはミヤコの統治から独立しようとしている一族らしいので、ツチグモの類よりもはるかに強力です。そこでクマソの首長の娘、姉のフカヤと妹のヘカヤを華美な贈り物でおびき出し、歓待して父親殺しを唆したのでしょう。遂にフカヤは実家に戻って父親を泥酔させて、連れてきた兵士に殺させてしまいます。ところがヲシロワケは、フカヤを褒めるどころか実家の血統を絶やした悪い女だと言い立てて殺してしまうのです（38―48～50）。

これはアマテルの子孫がすることではありません。しかしヲヲタタネコは自分がこのような記述をした『ホツマツタヱ』を、ぬけぬけと当のヲシロワケに奉るのです。大したものです。ミマキやイクメが渡来人ヒホコ本人はともかくその玄孫をも重用したことを強調している点を邪推すれば、ヲヲタタネコはミマキの系統が朝鮮半島の出身だということを書き残そうとしたのかもしれません。記紀もこれに同調しているところがあって、ヲシロワケの孫に当たる十四代仲哀天皇の妻であるオキナガタラシヒメ（神功皇后）に易々と「三韓征伐」をさせています。征伐というより迎え入れられたという感じです。またその軍隊も、亡夫である仲哀天皇の前妻の子で皇位継承権のある忍熊皇子（しのくまのみこと）と戦うときに卑劣な騙し討ちを仕掛けて勝つのですけれど、それが実に汚いやり方です。ここはホツマツタヱの時代よりのちの話なのに、なぜか不思議な一貫性を感じてしまいます。不快である以上に不可解です。

ヲウスとコウス

ヲシロワケには双子の息子（兄がヲウス、弟はコウス）がいました。ヲウスは早熟で父親が召そうとした姫を迎えに行かされるとその美貌に魅せられて自分のものにしてしまうほどです。けれど力は弱くて二十人力のコウスとは比べ物になりません。ですから父はクマソやエミシの平定をコウスにさせることになります。ホツマツタヱはこの親子関係に関する限り情のこもった書き方をして、日本書紀もほぼそれに近い形に翻訳しています。ところが古事記はコウスを凶暴な性格にしたうえで、それを恐れた父親が敢えてコウスを死地に向かわせるような筋書きにしています。ここだけを取り出して論じると古事記が悪意の誤訳をしている感じですけれど、ヲシロワケの「みみっちくて汚い手」を使う男だ、という性格を思い出せば十分にあり得る展開になってきます。ここでもまた古事記を、日本書紀で過剰に使われる出所不明な「一書」と同類であると感じてしまいます（第3章（1）「日本書紀の『一書曰』」）。

とにかく兄ではなく弟が父親に代わって二度も遠征軍の指揮官になったことは確かです。この兄弟逆転には強い既視感があります。アマテルの孫の代で起きた二朝並立のときも弟のほうが圧倒的に優れていました。欠史八代の後ミマキの世継ぎになったのは四方に縄を張ってスズメを追う夢を見た弟のイクメイリヒコです（34―30～31）。次の代で、武器よりも皇位を望んだヲシロワケ（タリヒコ）がこれまた弟でした（37―5～7）。さらに前を思い出すとタケヒトの跡を継いだカヌカワの場合も、義兄を殺すという過程はあったものの実兄に譲られた形で弟がキミ（二代綏靖天皇）の位についています（31―35～37）。とにかく弟が兄を越えて実権を握るパターンが頻発していて、下克上とは違う不自然な（赤の他人が弟と表現されているから？）雰囲気がこの時代を覆い続けています。

まず西方で再び勢いを伸ばすクマソを討ちに行ったコウスは、相手（クマソタケル）の守りが堅いと見るや髪を解き女装してタケルたちの前祝の宴に加わる女たちの中に紛れ込みます。父親譲りの騙し討ちです。彼は二十人力の成人男性ですから乙女と見間違われるはずはないのですけれど、話は都合よすぎる運びで進んでいって、誘ってきたタケルに隠し持ったツルギで致命傷を負わせます。死を覚ったタケルは「お前は俺より強いから、今後はヤマトタケと名乗れ」と言って事切れるのです（38―95～96）。騙して刺したコウスがタケルより「強い」のかどうかは措くとして、世の中で「日本武尊」や「倭建命」が「ヤマトタケル」として通っているのは解せません。なぜなら自分が負けた相手に「当国一の勇者と名乗れ」とは言っても、「自分の名前の一部（タケル）をつけろ」とは、言うはずがないからです。

ホツマ討ち

西から凱旋してきた「ヤマトタケ」は間をおかずに東のエミシの平定に向かうことになります。

その理由はヲシロワケ朝廷の半支配下にあるホツマ国に入り込んできたエミシ（ここではホツマより北のヒタカミの人々を指すことばです）を討伐してほしいという依頼があったからです。そしてその指揮官に任命されそうになった兄のヲウスが、ヒタカミ勢力を恐れて返事もできないほどに慄いてしまった結果です。しかしこの三十九アヤの題名にはエミシの名がなく「ホツマウチツズウタノアヤ」でした。ヤマトタケがその途中でイセのヤマトヒメに会って火打ち石とムラクモノツルギを賜ったという話がここにあります。もちろん富士の裾野で火攻めにも遭うのですけれど、火を放った者たちは「粗野で卑しく恩を仇で返す獣のような連中だ」とヲシロワケが罵っていたエミシではなく、表向きはヤマトタケを出迎えにきて鹿狩りに誘った、ホツマ国タチバナモトヒコの家臣たちです。だからといってホツマの人々をエミシと見なすのは間違いです。モトヒコの孫でありタシマモリの娘であるオトタチバナヒメはヤマトタケの妃になっています。ともかく火打石は役に立ったし草も薙ぎ払いました。しかし草を薙いだ刀がヤマトヒメから賜ったものか、彼自身の佩刀かは不明です。ムラクモノツルギはヒタカミ勢を怯ませる宝刀ですからこれで草を薙いだとは考えにくいのです（第1章（2）「＊ムラクモとクサナギ」）。

ついでながら賜った剣は「ハハムラクモノ（大悪党の）ツルギ」です。それがこの時点ではヲシロワケの腹違いの姉ヤマトヒメの保管物になっていました。記紀はその複雑な経緯を短絡させてヲロチ退治の直後に「天神に献上した」としたのでしょう。またその段階で「草薙」の名を出してきた記紀よりも、草を薙いだ話のあとに「ツルギノナオモ　クサナギテ」と書くホツマツタヱ（39—26）のほうがはるかに常識的です。さらに「クサナギ」とは「曲者を退治する（なぎ倒す）」の意味があるようで、「アツキクサナギ　ヤヱツルギ」（8—64）とか、「ワガクサナギノ　コノホコニ」（10—34〜35）などの形でも現れていました。ヤマトタケの側から見れば火をつけた連中は曲者ですから、三十九アヤの「クサナギ」も草原の「草」と曲者の「曲」とが掛けられているのでしょう。そうだとすれば、記紀がオロチ（曲者本人）の所有物だったツルギを得た時点で即座に「草那藝之大刀」とか「草薙劒」と書いたことは、古事記も日本書紀もホツマツタヱを元本にしていて、しかも誤った引用をしていたことになります。記紀はホツマツタヱの記述をを都合よく書き換えた二次創作物です。

ヤマトタケはナコソ（勿来）の浜まで来たのですけれど、ヒタカミの当主ミチノクとツガルのミチヒコの軍勢に行く手を阻まれます（39—39）。勿来といったら今の茨木と福島の県境で、当時ならホツマとヒタカミの国境なのです。彼は平定しに来たといいながらエミシの国ヒタカミには一歩も入りませんでした。ホツマ国内にいる「エミシ」を討伐する場面がなにも語られぬまま、タケヒという部下を交渉に行かせてヒタカミやツガルの側に納税の義務を課したかのように話は進みます。ところが帰途の行軍の様子は散々たるもので、ヲヲタタネコがホツマ国北方の山岳地帯で行われた戦闘とその敗戦を隠している可能性は大いにあります。その苦難の行軍の途中で、アヤの題にもある「ツズウタ」に関することがらが延々八十三行にわたって書かれているのです（39―63～84）。ツズ（ツツ、ツヅとも）ウタとは十九音（五・七・七）を一連とする「続け歌」のようです。もちろんこの部分は、日本書紀も古事記も、冒頭の数行に相当することしか書いておりません。そのうえウタの一連が「五・七・七」であることを曲げています（第6章の「記紀との三書比較」につけた資料7で確かめてください）。ここで触れるべきことではないけれど、ホツマツタヱが記紀を基にして偽作されたとしたらあり得ない話です。ツズウタを詳しく解説して、その一連を数多く載せている文献はホツマツタヱだけかもしれません。

ヤマトタケの言挙げ

ヤマトタケはミヤコにたどり着けずに死んでしまいます。その理由は帰途に変身して現れたカミに対する冒涜や彼の慢心の結果とされています。ヲヲタタネコとしてはホツマからヒタカミの人々を排除することですら、兄ヲウスが恐れおののいたとおり、アマテルカミに対する冒涜だと暗示したいのでしょう。とにかくナコソからニハリ（新治）、ツクバ（筑波）を経てサカオリの宮（富士山南麓）まで、雪の中を歩き続けた難行軍でした。困難だった理由をエミシから贈られた多量で重い貢物のせいにしていますけれど、とてもおかしなことです。ナコソまで来るときは、少なくともオオイソ（大磯）からは海路を取っていたのです。だからこそ相模湾を渡るとき、モトヒコが軍船にカグの実の籠を掲げてヤマトタケ側だと宣言したせいで荒れだした海を鎮めるために、オトタチバナヒメが海に身を投げたのです。ここでモトヒコのホツマ国はそれまでは奈良マキムキの朝廷と北方のヒタカミの双方と和親していたことが分かります。それに加えてこの朝廷の始祖であるタケヒトの「ヤマトウチ」が瀬戸内海を渡っての東進でしたから、今回はあらかじめ伊勢湾に船を用意していてもおかしくない状況です。

平定の証しになる貢物が増えたのならホツマの船を使ってでも海路で戻るべきです。貢物が邪魔ならホツマ国に与えても、敢えていえば捨ててもよかった。それなのに重荷を担いで辛く苦しい雪中行軍を続けたのですから、ホツマ側から協力を拒否されたのかヒタカミ軍に圧倒されて山中を敗走したのか、とにかくナコソからの出航はできなかったのです。この件からホツマ国が、ヒタカミ国とも友好関係を保つ以前の姿勢に戻ったことが読み取れます。担がねばならなかった重い物とは、負傷した自軍の将兵だったのかもしれません。ヤマトタケ自身もイフキ（伊吹山）のカミに言挙げしたために病を得てノホノ（亀山市付近？）で亡くなりました（40―12～21）。そもそもはそのカミを軽んじてヤマトヒメから授かったムラクモノツルギを持たずに征伐しようと出かけたからでもあります。

後（ヲシロワケ五十三年の秋）にヲシロワケは「コウスが平定した国々を巡りたい」といって伊勢に御幸（みゆき）します（40―74～75）。しかし伊勢からオオヤマ（大磯の北？）の宮にヤマトタケの肖像画を納めたり、カヅサのアホの浜（どこだか不明です）に上がってハマグリの膾（なます）を食べたりしていますけれど、これらの地域はすべてホツマ国の南部ですから、ヲシロワケはスヘラギとしてホツマから当然の外交的接待を受けただけです。少なくともホツマ国の北部までは行かないと息子が「平定した」地方を視察したことにはなりません。しかしヲシロワケの御幸はここまでで翌年にはヒシロのミヤ（纒向の中）に帰ってしまいました（40―93～94）。これを見てもヤマトタケのエミシ討伐はまったくの失敗であったことが推察されます。ヲヲタタネコは、彼にとっての現代史をねじ曲げて、しかもそれが後で容易に露見するようにホツマツタヱを書いています。ヲシテ文献は、ヲシロワケとその朝廷に対する面従腹背の文書だと受け止めるとかなり理解しやすくなります。

第6章　ヲシテ研究への期待

松本善之助から今日まで

第5章ではホツマツタヱの表現と内容とのあいだにある不一致を指摘しました。著者のヲヲタタネコが彼にとっての現代史を捻じ曲げて、しかもその嘘がすぐ露見するように書いたとしか思えないからです。だからこの文献はヲシロワケとその朝廷に対する面従腹背の文書と考えて読めば理解しやすいと書きました。この章ではヲシテ研究があぶり出した問題点を振り返って、将来に期待することを述べることにいたします。

松本善之助が初めてヲシテ文献を手にしたのは昭和四十一年（共紀一九六六年）でした（第1章（2）の「ホツマツタヱの再発見」）。それからその全アヤの探索をはじめて最初の完本を発見したのは翌四十二年です。この発見直後のことを彼は『ホツマツタヱ発見物語』の「ホツマツタヱに魅せられて」にある一項「これまでの歩み」でこう書いています。

「私は発見してすぐ懇意だった国語学者と古代史の大学教授に、このホツマツタヱのことを知らせました。しかし、全く意外なことには、けんもほろろの挨拶でした。先に書いた偏見に早くも私はぶつかったのでした」

これはまぁ当然の反応です。松本に「けんもほろろの挨拶」をした先生が個人としてはいくら知的で誠実な方であっても、外部の「素人」からもち込まれた己の専門分野の話となれば、先生にとって一番大切な職業上の居場所（所属する講座、大学や研究所、学会など）の守護神の気分になってしまうからです。それを理解するには「村」という表現を思っていただくのが近道です。その典型は「原子力村」です。はじめの頃は「東京電力株式会社」内部での新参者である原子力部門の人たちが自虐的に使ったことばだったのですけれど、今では原子力産業に関与する政治家、役人、企業家、学者、評論家、そしてマスコミを含む大規模の閉鎖的な集団を指す用語になっているようです。その集団の一員として平穏に過ごしたいと思うなら、原子力発電に批判的な人物に向かってはそれが安全で将来不可欠だと説くことはもちろんのこと、かりそめにもその人物に同調するとか、再生可能エネルギーの開発に理解を示すような発言をしてはなりません。もしそんな発言が「村」の人々の耳に入ったら「村八分」にされてしまうからです。けんもほろろの「先生」はきっと「日本古代史村」で長いこと暮らしておられたのでしょう。

〔ホツマツタヱ 39アヤ〕

39-65
ニイハリ ツクバオ
スギテイク ヨカネツル
モロナサズ ヒトボシヨスナ
キミノウタ カエシモフサク
カガナエテ ヨニハココ、
ノヨヒニハ トオカオ

39-66
ヤマトダケ ヒトボシホメテ
タケダムラ ホカハハナフリ

39-67
タケヒオバ ユキベオカネテ
カヒスルガ フタクニカミト
コトオホム キミヤマノヒハ
ユキヤスミ ワガキミニイフ
スヘラギミ ヤワラヘナフリ
ソロリニハ タケタタマハル
ナンノコト タケヒノイワク

〔日本書紀〕

307
珥比播利、莬玖波塢
須擬氐、異玖用伽禰莵流。
諸侍者不能答言。時有秉燭者。
續王歌之末、而歌曰、
伽餓奈倍氐、用珥波虚虚
能用、比珥波苔塢伽塢。
即美秉燭人之聰、
而敦賞。
則居是宮、
以靫部賜大伴連之遠祖武日也。

（682頁へ）

〔古事記〕

216
邇比婆理 都久波袁
須疑弖 伊久用加泥都流
爾其御火燒之老人、
續御歌以歌曰、
迦賀那倍弖 用邇波許許
能用 比邇波登袁加袁
是以譽其老人、
即給東國造也。

資料7　ホツマツタヱ・日本書紀・古事記の三書比較の例
『定本 ホツマツタヱ―日本書紀・古事記との対比―』（678頁）から

記紀との三書比較

「日本古代史村」の住人に黙殺された松本は、ホツマツタヱが古事記や日本書紀の原本であることを証明するために、この三書でタケヒト（初代神武天皇）の事跡が述べられている箇所の比較を始めました。特注の三段式原稿用紙の上段にホツマツタヱ（二十九アヤ、三十アヤ、三十一アヤの一部）を写本に従って書き写し、中段は日本書紀で対応する箇所を、下段には古事記の文章を書き入れるという方法です（資料7）。日本書紀はある程度ホツマツタヱに従っているとはいえ多くを省いていますし、古事記はいっそう得手勝手なのでずいぶん苦労されたようです。その結果が昭和四十八年に出版された『ホツマツタへ［ママ］の成立（本文編1）』（「ホツマ・ツタへ［ママ］」研究会、一九七三）です。この比較を全篇に広げた最初の出版物は上編、中編、下編に分けられた池田満の『校本三書比較　ホツマツタヱ』（新人物往来社、それぞれ平成七、八、九年）であり、それが現在の『定本　ホツマツタヱ』（初版は平成十四年）になっていきます。

昭和四十八年はもちろん平成十四年でさえ相当の昔です。三書比較を自分の目で見れば、「記紀はホツマツタヱを原本にして書き直されている」という松本や池田の主張が妥当であることは厭でも判るはずなのです。この本ならいくつもの大学の図書館に収められているだろうと思って国立情報学研究所の図書目録（CiNii）で「定本ホツマツタヱ（エ）」を検索したところ、置かれていたのは北九州市立大学、九州大学（芸術工学）、京都市立芸術大学、神戸大学、神戸女子短期大学、奈良女子大学、広島大学、龍谷大学だけでした。これらの大学では見つかるのですから東京大学などでヒットしなかった理由は、外字問題（表題がヲシテ文字で書かれているため）ではないはずです。古い分冊型の上編だけなら関西大学、関西学院大学、学習院大学、近畿大学、神戸親和女子大学に、中編は帝塚山大学にありました。

これではいけない。その思いが、ヲシテ文字を使わずにヲシテの本を書こうとした直接の動機です。表題がヲシテ文字で書かれていると、いくらそこに仮名のルビが振ってあっても、それを知らない人にとっては越えがたいバリアーになってしまうと感じたからです。

大仙陵古墳の調査

大仙陵古墳（大山古墳ともよばれます）とは、年配の方には「仁徳天皇陵」といったほうが通りのいい大坂堺市にある日本最大の前方後円墳のことです。日本最大であるばかりか、エジプトのクフ王のピラミッド、秦の始皇帝陵と並んで世界三大陵墓に数えられています。全長では大仙陵、高さではピラミッド、体積では始皇帝陵が相手を凌ぐのです。この大仙陵に代表される陵墓の数は、歴代天皇の陵とされる分だけで百十二基、皇后などの分が七十六基、皇族のものが五百五十三基で、合計七百四十一基（塚とか参考地を加えると八百九十七基）が指定されています。ただしこれらはすべて宮内庁によって管理されていて、研究者などが立ち入って自由に調査することは許されません。

　これがピラミッドや始皇帝陵その他、諸外国の古代王族の墳墓との大きな違いです。なぜ違うのかというと外国の場合は、被葬者を含む古代王室が絶えているか、王室はあったとしても家系が違うからです。日本の場合は「万世一系」の建前がありますから、陵墓のすべてが現皇室の先祖の「お墓」になってしまいます。そのお墓を暴くことは、たとえ研究目的だといっても現在の天皇家に対して失礼だから許可できない、というのが宮内庁の言い分です。そうはいってもほとんどの陵墓に葬られている人物の決定（実際は推定）は江戸時代になされていますので、科学的というか歴史学的に信頼性のある比定がなされている陵墓はごく僅かだそうです。典型的な例が継体天皇（第二十六代）陵でした。江戸時代からそれは大阪茨木市の太田茶臼山古墳だとされていて、明治時代になって宮内庁もそのように定めたのです。しかし大正から昭和にかけての時期に、宮内庁の指定を受けていない高槻市の今城塚（いましろづか）古墳の発掘研究が行われた結果、これが正しい継体天皇の陵だとする説が学界では有力になってきました。ところが宮内庁はこの説に否定的で、今でも太田茶臼山古墳を継体天皇陵だとしています（「茶臼山古墳」は全国に多数あるので土地名をつけないと誤解を招きます）。

新しい流れ

令和元年の七月に「百舌鳥・古市古墳群」がユネスコの認定する「世界文化遺産」の一つとして登録されました。百舌鳥群の目玉は大仙陵古墳です。古市のほうは誉田山古墳（応神天皇陵とされる）で、これは二番目に大きな前方後円墳です。この世界遺産への登録に対する不安材料が「被葬者が不明確である」という点でした。おそらくそこを意識してなのでしょう、前年の平成三十年十一月に初めて宮内庁が外部組織（この場合は堺市）との共同調査に踏み切りました。陵自体は三重の濠で囲まれています。調査されたのは二番の濠の内側の堤（幅約三十メートル）の南東の端に位置する三か所で、ここに約二メートルの溝を掘って堤の構造などを調べたのです。それだけのことなので被葬者の特定などとても期待できない些細な企画ですけれど、これまでの宮内庁の方針を考えると「一歩前進」には違いないのです。もっとも宮内庁は、「どんな結果が出てきても『仁徳天皇陵』の指定は変えない」といっていたそうです。それでもこの動きをバカにしないで多くの分野の人たちが声を揃えれば「次の一歩」も望めそうです。堺市との共同調査が「新しい流れ」の始まりであることを期待します。

その流れを側面から促すような動きも出てきています。令和二年になって奈良県の橿原考古学研究所が桜井市にある箸墓古墳を、敷地の外で、宇宙から飛んでくる「ミューオン」という素粒子（μ粒子）利用して「内部」調査をしていると発表しました。平成十四年ノーベル物理学賞を授与された小柴昌俊がカミオカンデの大規模装置で検出したニュートリノ（ν粒子）も素粒子です。しかしミューオンのほうがずっと大きくて物と衝突しやすいから簡便な（原理は写真やX線のフィルムと同じ）原子核乾板でも捉えられるのです。内部に空洞があるかないかで核乾板まで到達する粒子の数が変ってきます。この理屈で例えばどのくらいの石室があるかということの見当がつくのです。名古屋大学のチームはこの方法でクフ王のピラミッドに、今まで知られていなかった巨大空間のあることを突き止めました（二〇一七）。

箸墓古墳は共紀二百年代後半に造営された日本最古級の前方後円墳で、宮内庁は倭迹迹日百襲姫命の陵墓だといっています。ところがホツマツタヱにはこの名前にピッタリ対応する女性が見当たりません。先ずヤマトモモソヒメがいて（32―6）、その異母弟（八代孝元天皇）の正后が産んだ娘にトトヒメがいます（32―42）。トトヒメは七代孝霊天皇の直系の孫だから位は高いのでしょうけれど、ほとんど記述がありません。それに対してモモソヒメには逸話が多くて、霊感が強い女性として描かれています（34―4）。日本書紀は別人の二人をまとめて高貴で異能の姫を創り出したかったのでしょう。そのおかげでこの墓の被葬者は邪馬台国の女王、あの魏志倭人伝に「鬼道に事え能く衆を惑わす」と書かれている卑弥呼ではないか、という説が出てきたようです。孝霊も孝元も欠史八代の中の天皇ですから彼らとの関係で生存年代を判断することは危険です。モモソヒメが異能だといっても、ヤマシロに現れた不思議な娘のウタを読み解いてタケハニヤス（トトヒメの異母弟）夫婦の謀反を察知した、というレベルのことですから卑弥呼と結びつける説は安易にすぎて無理があると思います。それでも陵墓の調査にこの方法を使うのは初めてのことですから、箸墓古墳をその対象に選ぶことに対して文句はありません。

余　章　学知の害は宗教の害より小さい

知識は力なり

　知識が力になることを表すことばとしては、日本の天下人が秀吉から家康へ変わっていく時代のイングランドで活躍した、経験主義哲学者といわれるベーコンの主張をラテン語で表した「知識は力なり（scientia est potentia）」が有名です。一応ベーコンは哲学者とされていますから、このことばも従来の「演繹法」ではなく真摯な自然観察に基づく「帰納法」の重要性を述べたものだとされています。それは間違っておりません。しかし別な受け取り方もあり得ます。彼は貴族の息子で若いときは裕福でいい教育を受けていたのですけれど、父親の死後はすっかり困窮してしまいました。そこで国王秘書長官だったウォルシンガムの下で「反エリザベス一世派」を摘発する諜報活動に参加したのです。そこで実力を認められた結果、今度は政界入りを企てます。その際、長官の没後に崩れかけた彼の諜報網を再建して利用しました。そこを考えればベーコンのいう「知識」には自然観察から得られる知見にとどまらず、著名人のスキャンダルのような「情報」も含まれているはずです。そういう情報は古今東西、競争相手との競争に打ち勝つための好材料になるからです。

同じ意味になるもっと古い表現は、中国の「春秋時代」（約二千五百年前）の孫武が著した兵法書『孫子』にある、「彼を知り己を知れば百戦して殆うからず」という有名な一句です。相手についての的確な情報をもち、自分の側の事情もしっかり把握していれば、それが力となっていつ戦争がはじまっても負けることはないという意味です。孫武はまた「百戦百勝は善の善なるものに非ず。戦わずして人の兵を屈するは善の善なるものなり」とも書いています。要するに収集した情報とその分析に基づいた外交的な手段は、相手の戦闘意欲を奪って戦わずに自分の望む結果を導き出す最善の戦略であると位置づけているのです。これは干戈を交える（拳骨でもミサイルでも同じことでしょう）戦争についてだけではなく、人が一生のうちに出会うさまざまな事態、ベーコンにおける政界進出でも、ガンの告知を受けたときでさえも成り立つ大原則です。的確な知識があれば失敗や苦痛を避けるうえでの信頼できる力になるからです。

日本史の理解にも当てはまります。『魏志倭人伝（三国志）』で「倭國」とされていた東海の小国がなぜ『隋書』では「俀國」になって、それが『旧唐書』では再び「倭國」に戻っているのかは、ヲシテ文献の『ホツマツタヱ』を『日本書紀』や『古事記』と読み比べていないと誤った解釈に陥りかねません。男性アマテルが女神の天照大神に書き換えられていると知らなければ、推古天皇や聖徳太子について調べ直す気にならないからです。ホツマツタヱと日本書紀と古事記、この三書で記述の違っている部分を考察して得られる知識がなければ、日本の上代の歴史は永久に神話、すなわち宗教のレベルから抜け出せないのです。

ヒトの繁栄

現代の「ヒト」という用語は「人間」を科学的（主に生物学の分野で）に語る場合、言い換えるとホモ属のサピエンスという生物種（しゅ）として考える場合に使います。「人間」のほうはそうでなくて、「ヒト」を社会的な存在と見なしている場面で使われるのです。それは家族や親族の中とか、その他もろもろの社会の中で何かの役割をもっている場合のことです。ヒトは哺乳動物の中で一番繁栄している「種」だと考えています。「繁栄」の程度を測る尺度は「文明」ではなく、個体数の多さです。ネズミのほうが多いだろうと思うでしょう。しかし「一つの種」という縛りをかけるだけで事情が変わるのです。いま（二〇二〇）の地球で、ホモ属に分類されている生き物はホモ・サピエンスただ一種でありまして、その数は七十七億と推定されています。何しろ酷寒の北極海沿岸や、空気の薄い高地、水に乏しい乾燥帯にも「知恵」を使って住んでいますから。あなたのいう「ネズミ」を「ミッキー・マウス」でお馴染みのハツカネズミと考えれば、それはマス属のマスキュラスという種です。パンダがササを食べるようになった「元クマ」であるように、ヒト以外の動物が棲む場所を広げるには自分の「身体（と主食）」を変えないといけないのです。だから「一つの種」であり続けることができません。実測はできないけれどハツカネズミの個体数は七十七億に及ばないと秘かに考えているのです。

ヒトの繁栄の大元は、「ことば」を使うことによって個体の経験を同世代の他の個体とはもちろんのこと、世代の違う個体とも共有できたからです。もちろんトリだってサルだって子供世代は親世代から学ぶことができます。けれどヒトの学習能力はそれらに比べて格段に、桁外れに、高くなっていきました。それには、経験を「文字」で記録しておくことによって過去の社会の経験も利用できるようになったことが寄与しています。これが知識の蓄積です。しかしどんな「知識」でも悪意をもって利用すると恐ろしいことが起こります。ある集団が別の集団を滅ぼそうとした場合―そういうことを企てること自体が知識の悪用ですけれど―、対象にした集団に属する個人すべてを殺さなくても目的は達成できるのです。対象集団からのそのことば（記録を含めて）を奪ってしまえば、そこに属していた人々は多数の（社会を失った）個人に分解されて「集団」が消えてしまうからです。

個人の不幸

採取と狩猟で生命を維持してきたヒトは、イヌと出会ってから繁栄への道を進みはじめたそうです（島泰三『ヒト、犬に会う　言葉と論理の始原へ』）。その延長線上に存在する多種多様な家畜の利用は、ある種の生物を人間の管理する範囲で生存し繁殖できるように改変した結果として成立しています。ヒトに顕著な活動の中で、とりわけ農耕と牧畜はその繁栄に大きな貢献をいたしました。しかしながらそれは「個人の不幸を伴った繁栄」だともいわれます（ハラリ『サピエンス全史　文明の構造と人類の幸福』、二〇一六）。確かに農耕と牧畜は人間を、日々の行動の大部分を当日（せいぜい翌朝まで）の食糧の確保のために費やさなければならなかった採集と狩猟の生活から解放しました。リスクの少ない定住生活が可能になったのです。

しかしその結果、例えばイモやコムギのデンプンとかヒツジやウシの肉と乳（それから作るチーズなど）に偏った食生活を強いられ、しかも家畜にした動物とだけではなく人間同士まで従来よりもはるかに密集した状態で暮らしていかねばならなくなりました。それは、以前は気にもしなかったヒツジやウシの糞尿だけでなく、それまでなら移動によって放置できた自分たちの排泄物にも囲まれた生活を意味します。何事も「水に流す」ことのできた日本人には想像し難いでしょうけれど、汚物をすべて海に運び去ってくれる流れの速い河川が身近にあるとは限らないのです。そんな環境が健康的であるはずはありません。蓄積される排泄物を利用するさまざまな種類の微生物はもちろん、家畜にした生物を宿主にしていたウイルスとの絶えざる接触も、新しい疫病の蔓延をもたらします。過密に育てられたイモやコムギは脆弱になるので、天候の不順や虫害の発生があれば、安定になったはずの主食の供給手段を破壊して人間を飢饉に追い込みます。この段階の人間社会にはすでに不平等な富の配分と階級の分化が起こっていますから、下級層に組み込まれた人たちは採取と狩猟の時代よりも過酷な労働を強いられるうえに、疫病や飢饉の最初の被害者にさせられたことでしょう。これが「個人の不幸」です。

タブーも人間を不幸にする

「タブー」ということばの元はポリネシア（大雑把にいうとハワイ諸島主要部、ニュージーランドの南端、モアイ像で知られたイースター島、これらを結ぶ三角形の中に入る島々）に住む人々のことばで、「強く徴（しるし）をつける」という意味です。あるモノに強く徴をつける目的は、それについては口に出すな、話題にするな、と分からせるためです。口に出せないモノやコトは文字でも残すこともできませんから、タブーは理屈抜きの不文律としてその社会の成員に伝えられていきます。ポリネシアの島々はとても広い海域に散らばっていますので具体的なタブーは島の文化ごとに違います。マオリ語を使う島々（ニュージーランド）でタブーになっていてもハワイ諸島ではそうでないということはあって当然です。けれど一般化していえば「聖（非日常）と俗（日常）

との接触を禁ずる」という形をとることが多いようです。危険な（聖の）場所への接近禁止が（俗な）集団メンバーの保護として働く一方で、権力者による恣意的なタブー指定は集団支配の安価な手段にもなったでしょう。大航海時代を経てこのことばがヨーロッパ諸国に移入されてからは、恣意的な「禁忌」の面が強調されるようになったようです。

　現代社会のタブーも明言されないことが前提ですから、その実態は明らかでありません。ちなみに「タブー — Wikipedia」の「政治体制上のタブー」を見るとアルメニア人虐殺（トルコ）、二・二八事件（台湾）、保導連盟事件（大韓民国）、九月三十日事件（インドネシア）、天安門事件（中華人民共和国）の五例がありました（発生年順）。天安門広場での事件は二つあって、三十年前のこの事件は起きた六月四日にちなんで、「六四天安門事件」とよばれます。しかし中国ではこのことばを検索語に使うと、少なくともインターネットの接続が切られるそうです。またこの事件について発信したい人は、その日を暗示する「五月三十五日」とか「8^2（八の二乗）」など、六と四を暗示する隠語を使わなくては安心できないようです。これは「不幸」の内に入ると思います。新型コロナウイルス禍によって世界的に社会の監視体制が強化されるでしょう。パンデミックを抑えるだけが「幸福」への道ではありません。

　もちろん現代日本にもタブーはあります。第6章で紹介した「村」はそれぞれがタブーをもっているからこそ「村」なのです。原子力村では原子力発電に不都合な点を論ずることがタブーです。人形峠でのウラン採掘を巡っておきた健康被害事件で住民側に立って証言した京都大学の小出裕章は、研究者としてとても不遇な状況に追い込まれました。「日本の旧石器捏造」を許した人々も「旧石器時代学村」あるいは「考古学村」の「村人」だったのでしょう。この村では問題の石器を「本当に前期旧石器時代の標本だろうか」と問うことがタブーだったに違いありません。だからこそ、それを指摘した竹岡俊樹は徹底的な「村八分」に遭いましたし、彼より前にそれを疑問視した小田静夫も別な形で不本意な道を歩まされました。竹岡が『考古学崩壊―前期旧石器捏造事件の深層』で嘆いているのは過去の事実だけではなく、捏造の発覚から十年経ってもその「村」の体質が少しも変わっていないことでした。でもこれは内輪ごとなので、ニュースにならずに変わりつつあることを期待しているのですけれど、どうなのでしょう。

ヲシテへの誘い

さて、これまではヲシテを研究することも、少なくとも日本の古代史や文学を研究する学者の社会では、タブーになっていたように思われてなりません。だからこのテーマへ若い方をお誘いすることには罪悪感がありました。タブーになっている「魔の山」へ登ってみませんか、という趣味の悪い誘惑になると思っていたからです。でも今は少し気持ちが変わりました。一つにはホツマツタヱやフトマニなどのヲシテ文献に残されているウタが、文字として平安時代の初期まで一定の家系に伝わっていたことを示す証拠を見つけたからです。ヲシテ文献に載っているウタが古今和歌集に載っている和歌と単に似通っているだけでなく、ヲシテ文献そのものがその後の和歌に影響を与えていたとしか考えられない事実にも気づきました。ヲシテ偽書説を採った場合には、写本の存在が証明されている江戸時代に誰かが新たにヲシテ文献群を「捏造」せねばなりません。しかしその事業がひどく困難に思えることや、その「捏造者」が期待できそうな利得を何も想像できなかったことにも背中を押されました。ヲシテといえば名の挙がる奈良西大寺に所縁の律宗の僧である溥泉（ふせん）（千七百年代後半）も、京都天道宮の神主をしていた小笠原通当（みちまさ）（千八百年代中頃）も、また通当に写本の元を残したクシミカタマの七十八世の子孫にあたる和仁估安聡（やすとし）（千七百年代後半、本名は伊保祐之進、近江の南市村の人）にしても、「国学」や「国学者」との関連は何も伝わっていません。

もしヲシテの研究が、関連する研究者の世界でタブーになっているとしたら、それを無効にするために一番効き目があるのはもっと多くの人々がヲシテについての正確で冷静な知識をもつことだと信じます。なんといっても多くの猿人たち（ホモ属に入らないヒト科の生き物）やヒト以外の数種の原人たち（ホモ属に分類されるヒト以外の生き物）が滅びてしまった中で、ただ一種、ヒト（ホモ・サピエンス）だけが生き残ってきたのです。あなたが今ここにいるのはその結果です。それを「よかったこと」と見なす限りは「正確で冷静な知識」の効用を認めないとなりません。たとえ原子（アトム）の核の成分をまとめ上げている力を取り出す知識が「核兵器」の製造に使われても、たとえデオキシリボ核酸（ＤＮＡ）の成り立ちとその扱い方に関わる知識が「遺伝子編集人間（家畜ヒト）」の出現を招いても、人間がそれらの知識を得たことを「よかったこと」としなければならないのです。フェルメールの『真珠の耳飾りの少女』があるといわれて訪ねた家で、その画を裏返しに掛けた部屋に通されたら誰でも怒りだすでしょう。しかしその反対側は間違いなく「あの画」なのです。どちらの側を客に見せるかはその持ち主が決めることです。言わずもがなのことながら、知識をどう使うかも人間が決めることです。

「核の平和利用」はあり得ないと主張する人でも、核の成分をまとめる力について知ろうとしなければ宇宙創成についても無知のままでいなければならない、という点は認めるでしょう。宇宙についての「正確で冷静な知識」がなければ、「宇宙は『何々という神』がお創りになった」という宗教の虜になってしまいます。その先では「神があの民を『聖絶』せよと仰せられた。この『聖戦』に異を唱える者はすべて『非国民』である」という時代が待っています。だから「学知の害は宗教の害より小さい」と申しました。フェルメールの一点を巡って仮に遺産相続で揉め事が起きたとしても、それでもあの少女の画とか、森狙仙の『梅花猿猴図』とかは、あったほうがいいのです。ヲシテ文献だって棚上げにされているよりも、読まれた方がいいのです。

正史的文書の宿命

後世に残される歴史書、とりわけ「正史」的な公式の文書は、その時代の政治権力を無視しては成り立ちません。それを無視した文書は破棄されたり「トンデモ本」扱いされたりして消えていくからです。ですから百年とか千年とか経ってからそのような文書を読んだ場合にウソが入っていたとしても、それを侮蔑することや、その文書そのものを偽書扱いすることは生産的でありません。アジア・太平洋戦争に敗れた翌年（一九四六）に津田左右吉が書いていたとおりです（『建国の事情と万世一系の思想』＊）。書かれている「ウソ」や、別の証拠から推定される「（マ）コト」が消されている点を検討して、「その時代」の理解の足しにすればいいのだと思います。ホツマツタヱと日本書紀と古事記とのあいだにある表面上の不一致から、そのどれにも書かれていないかもしれない、過去に起きた実際のことがらが推理できたとしたらそれは素晴らしいことではありませんか。記紀だけよりもヲシテ文献を加えたほうが、より立体的な「日本上代史」の理解に到達できると信じます。

＊建国の事情と万世一系の思想（序文）

今、世間で要求せられていることは、これまでの歴史がまちがっているから、それを改めて真の歴史を書かねばならぬ、というのであるが、こういう場合、歴史がまちがっているということには二つの意義があるらしい。

一つは、これまで歴史的事実を記述したものと考えられていた古書が実はそうでない、ということであって、例えば『古事記』や『日本紀』は上代の歴史的事実を記述したものではない、というのがそれである。これは史料と歴史との区別をしないからのことであって、記紀は上代史の史料ではあるが上代史ではないから、それに事実でないことが記されていても、歴史がまちがっているということはできぬ。史料は真偽混雑しているのが常であるから、その偽なる部分をすて真なる部分をとって歴史の資料とすべきであり、また史料の多くは多方面をもつ国民生活のその全方面に関する記述を具えているものではなく、或る一、二の方面に関することが記されているのみであるから、どの方面の資料をそれに求むべきかを、史料そのものについて吟味しなければならぬ。史料には批判を要するというのはこのことである。例えば記紀において、外観上、歴史的事実の記録であるが如き記事においても、こまかに考えると事実とは考えられぬものが少なくないから、そこでその真偽の判別を要するし、また神代の物語などの如く、一見して事実の記録と考えられぬものは、それが何ごとについての史料であるかを見定めねばならぬ。物語に語られていること、即ちそこにはたらいている人物の言動などは、事実ではないが、物語の作られたことは事実であると共に、物語によって表現せられている思想もまた事実として存在したものであるから、それは外面的の歴史的事件に関する史料ではないが、文芸史思想史の貴重なる史料である。こういう史料を史料の性質に従って正しく用いることによって、歴史は構成せられる。史料と歴史とのこの区別は、史学の研究者においては何人も知っていることである

> が、世間では深くそのことを考えず、記紀の如き史料をそのまま歴史だと思っているために、上にいったようなことがいわれるのであろう。
>
> いま一つは、歴史家の書いた歴史が、上にいった史料の批判を行わず、またはそれを誤り、そのために真偽の弁別がまちがったり、史料の性質を理解しなかったり、あるいはまた何らかの偏見によってことさらに事実を曲げたり、恣(ほしいまま)な解釈を加えたりして、その結果、虚偽の歴史が書かれていることをいうのである。
>
> さてこの二つの意義の何れ(いず)においても、これまで一般に日本の上代史といわれているものは、まちがっている、といい得られる。然(しか)らば真の上代史はどんなものかというと、それはまだでき上がっていない。という意味は、何人にも承認せられているような歴史が構成せられていない、ということである。上にいった史料批判が歴史家によって一様でなく、従って歴史の資料が一定していない、ということがその一つの理由である。従って次に述べるところは、わたくしの私案に過ぎないということを、読者はあらかじめ知っておかれたい。ただわたくしとしては、これを学界ならびに一般世間に提供するだけの自信はもっている。

日本上代史の解明へ

津田のいう「史料は真偽混雑しているのが常であるから、その偽なる部分をすて真なる部分をとって歴史の資料とすべき」は、まことに大切な忠告です。敗戦の後に七十余年が経っても、まだ「真の上代史」はでき上っていません。彼（一八七三〜一九六一）の時代の歴史家には見ることのできなかった史料を、今の人は利用できるのです。それを利用しないのは横着です。ヲシテ文献を一つの史料として認めるだけで、素人でさえその中のウタと古今和歌集のつながりを見出すことができました。ヲシテ文献を残した集団を「ヲシテ集団」とし、記紀を書いた集団を「記紀集団」と名づけた場合に、この両集団が日本列島の支配者の地位を巡って対立関係にあったことは容易に想像できます。ヲシテ集団の男性指導者だったアマテルを、記紀集団は天照大神という神話の世界の女神に置き換えてしまった点だけを見ても明らかです。しかしヲシテ文献を読んでいけば対立はその二集団のあいだだけのものではなく、その双方が快く思わなかった「第三集団」も加わった三つ巴の抗争だったことが浮かび上がってきます。加わってきたのはミマキイリヒコ（崇神天皇。あるいは神武天皇タケヒト）からヲシロワケ（景行天皇）へ続く（もしかしたら仲哀天皇や神功皇后にまで続く）集団です。この集団に対してヲシテ集団は面従腹背し、記紀集団は軽蔑を露にしました（第5章「ヲヲタタネコに貶されたヲシロワケ」）。

こんな仮説を毛嫌いする方もおいででしょうけれど、「過去と他人は変えることができない。しかし未来と自分は変えられる」という警句は的を射ています。「嫌いな仮説」でもそれが「好みの説」より合理的だという証拠が増えてきた場合には、嫌いな仮説を受け入れるように自分を変えることが必要だと思います。今までヲシテをご存じでなかったあなたが、これを機に学校では習わなかったこの大切な古典作品に興味をもってくださることを期待します。多少ともこの分野に近い学者の方々には、ともかくヲシテという史料を、偏見をもたずに批判してくださいとお願いして、この話を終えることにします。

あとがき

この頁まで読み進んでくださってありがとうございます。そしてもし、ヲシテ文献が平安時代の初期から始まる「国風文化」に影響を与えていたことを感じていただけたとしたら、それはとても嬉しいことです。僕が「ヲシテ」というものをはじめて知ったのは今からおよそ四年前（平成二十八年）のことで、もう七十三歳にはなっていました。この年の九月に、松本善之助著の『ホツマツタヱ発見物語』（池田満編）が出版される予定を報じた新聞広告に惹かれたことが大きな転機になりました。それから青木純雄・平岡憲人の『よみがえる日本語―ことばのみなもと「ヲシテ」』、続いて青木純雄・斯波克幸の『よみがえる日本語Ⅱ―助詞のみなもと「ヲシテ」』を読んで、これはホンモノだろうという印象を受けました。ですから分不相応であるにもかかわらず、池田の『定本 ホツマツタヱ―日本書紀・古事記との対比―』や『新訂 ミカサフミ・フトマニ―校合と注釈―』、『ホツマ辞典―漢字以前の世界へ―』などを買い揃えました。今回これが役に立ったのです。

とはいえまだヲシテ文字で読み込む力は乏しく、多くをルビの片仮名に頼っているありさまです。俗にいう「一知半解」の段階にさえ遠く及ばない未熟な身を顧みず、ただただ「ヲシテ文献を日本の古典として復権させたい」という虚仮の一念でこれを書いてしまいました。数多くの誤りを犯していることと思います。ご専門の先生方のご叱正を賜ることができればこれに勝る悦びはありません。

とにかくホツマツタヱの奉呈文から石川五右衛門の辞世の歌、そこから古今和歌集の仮名序を経てフトマニの「モヤマ」に辿り着けたのは幸運でした。仮名序の六つの例歌の四つまでがフトマニの「＊ヤマ」のウタに似ていることを指摘する「ほつまつたゑ解読ガイド」の「ふとまに」の項を書かれた「gejirin.com」の方々には深く感謝いたします。また、溝口貞彦の「『君が代』考」（藤田友治編『「君が代」の起源』第二部のⅡ）、からは思いもよらなかった和歌のネットワークの細やかさを教えられました。この論考がなかったらホツマツタヱの奉呈文を丁寧に見ることもなかっただろうと思います。また「ホツマ」ということばに僕を敏感にさせ、「ホツマ文字」という表現でヲシテ文字の一覧を見せてくれた園田豪の「日本の起源と文化考」（園田豪『太安万侶の暗号（ゼロ）』所収）にも感謝せずにはいられません。

ヲシテに興味をもち始めた僕に共感して、それ以後ぼつぼつ書き出した短文を読んでそのたびに真剣な助言と批判をしてくださったフランス文学者の平手友彦さんには、心の底からお礼を申し上げます。彼の関心がなかったらこの本を書くには至らなかったと断言できます。江戸時代に敬光顕道が筆書きで残した『和字考』の解読に力を貸してくださった大矢安紀子さんと八幡順子さんには感謝の気持ちでいっぱいです。和字考の漢文の箇所を読み下してくださった朝倉尚さんと樫原修さんには心からお礼を申し上げます。展望社の出版物からの転載を許諾してくださった同社の唐澤明義さんには深い感謝を申し述べます。また弱気になったときの僕の闘争心に火をつけ直してくださったサルの野外研究者である島泰三さんにも謝意を呈します。本文の末尾でフェルメールと並べて森狙仙を挙げたのは彼へのオマージュです。狙仙は捕らえられた猿では飽き足らずに数年間、山にこもって野生の猿を観察し続けたといわれる絵師だからです。

新型コロナウイルス感染症がもたらす不安な状況の中、学界の正統的な考え方に対立しかねない企画を豪胆にも受け入れてくださった溪水社の木村逸司さんとこれに協力してくださった同社のスタッフの方々、および丁寧な校正をしてくださった福本郷子さんには格別に深い御礼を申し上げます。そして老境に入ってこのような冒険に飛び込んだ僕を寛容に見守ってくれた妻の貞子にも感謝します。

令和二年六月　　　広島の短才房にて

参考資料

書籍

アーダ、フィリップ『ヒエログリフを書こう！』翔泳社、二〇〇〇
青木純雄・平岡憲人『よみがえる日本語―ことばのみなもと「ヲシテ」』明治書院、二〇〇九
青木純雄・斯波克幸『よみがえる日本語Ⅱ―助詞のみなもと「ヲシテ」』明治書院、二〇一五
赤塚忠・阿部吉雄（編）『旺文社 漢和辞典 新版』旺文社、一九八〇
池田満『新訂 ミカサフミ・フトマニ―校合と注釈―』展望社、二〇一二
池田満『定本 ホツマツタヱ―日本書紀・古事記との対比―』展望社、二〇〇九
池田満『ホツマ辞典―漢字以前の世界へ―』展望社、一九九九
池田満『よみがえる縄文時代 イサナギ・イサナミのこころ』展望社、二〇一三
尾関清子『縄文の衣―日本最古の布を復原』、学生社、一九九六
斎藤成也『日本列島人の歴史』岩波書店、二〇一五
佐佐木信綱『新訂 新訓 万葉集 上巻』岩波書店、一九五四
島泰三『ヒト、犬に会う 言葉と論理の始原へ』講談社、二〇一九
園田豪『太安万侶の暗号』（全八巻）郁朋社、二〇一〇～六
園田豪『人麻呂の暗号と偽史「日本書紀」』郁朋社、二〇一六
高木東一『小倉百人一首』光風館、一九五九

竹岡俊樹『考古学崩壊―前期旧石器捏造事件の深層』勉誠出版、二〇一四
中沢隆『カイコガの種で見る日本の古代養蚕史―古代の文献史料から家蚕と天蚕を読み取る』奈良女子大学「考古学」第9号、二〇一七
ハラリ、ユヴァル・ノア『サピエンス全史　文明の構造と人類の幸福』（上・下）河出書房新社、二〇一六
松本善之助『ホツマツタヱ発見物語』（池田満 編）展望社、二〇一六
毬矢まりえ・森山恵（再翻訳）『源氏物語　A.ウェイリー版　1～4』左右社、二〇一七～九
溝口貞彦「『君が代』考」：藤田友治（編著）『「君が代」の起源―「君が代」の本歌は挽歌だった』明石書店、二〇〇五
山田孝雄『君が代の歴史』宝文館出版、一九五六
和辻哲郎『日本倫理思想史』岩波書店、一九五二

ウェブサイト

石川五右衛門 ― Wikipedia
https://ja.wikipedia.org/wiki/%E7%9F%B3%E5%B7%9D%E4%BA%94%E5%8F%B3%E8%A1%9B%E9%96%80
永仁の壺事件 ― Wikipedia
https://ja.wikipedia.org/wiki/%E6%B0%B8%E4%BB%81%E3%81%AE%E5%A3%BA%E4%BA%8B%E4%BB%B6
音素配列論（「上代日本語」解説内）―Wikipedia

https://ja.wikipedia.org/wiki/%E4%B8%8A%E4%BB%A3%E6%97%A5%E6%9C%AC%E8%AA%9E#
%E9%9F%B3%E7%B4%A0%E9%85%8D%E5%88%97%E8%AB%96

魏志倭人伝
http://www.eonet.ne.jp/~temb/16/gishi_wajin/wajin.htm

建国の事情と万世一系の思想（青空文庫、津田左右吉、二〇〇六／初出一九四六）
https://www.aozora.gr.jp/cards/001535/files/53726_47829.html

古今和歌集 — Wikisource
https://ja.wikisource.org/wiki/%E5%8F%A4%E4%BB%8A%E5%92%8C%E6%AD%8C%E9%9B%86

古今和歌六帖　第四：祝
http://lapis.nichibun.ac.jp/waka/waka_i064.html#i064-013

古事記、全文検索
http://www.seisaku.bz/kojiki_index.html

試作　万葉仮名一覧（植芝宏、二〇一一）
http://www1.kcn.ne.jp/~uehiro08/contents/kana/1ran.htm

上代特殊仮名遣 — Wikipedia
https://ja.wikipedia.org/wiki/%E4%B8%8A%E4%BB%A3%E7%89%B9%E6%AE%8A%E4%BB%AE%
E5%90%8D%E9%81%A3

上古天皇の在位年と西暦対照表—Wikipedia
https://ja.wikipedia.org/wiki/%E4%B8%8A%E5%8F%A4%E5%A4%A9%E7%9A%87%E3%81%AE%E
5%9C%A8%E4%BD%8D%E5%B9%B4%E3%81%A8%E8%A5%BF%E6%9A%A6%E5%AF%BE%E7%8

5%A7%E8%A1%A8%E3%81%AE%E4%B8%80%E8%A6%A7

植物記（青空文庫、牧野富太郎、二〇〇八／初出一九四三）
https://www.aozora.gr.jp/cards/001266/files/51368_56013.html

「神代文字」に関する学術的な議論―
https://www.wikiwand.com/ja/%E7%A5%9E%E4%BB%A3%E6%96%87%E5%AD%97

隋書倭国（俀国）伝（原文、和訳と解説）
http://www.eonet.ne.jp/~temb/16/zuisyo_wa.htm

政治体制上のタブー（「タブー」解説内）―Wikipedia
https://ja.wikipedia.org/wiki/%E3%82%BF%E3%83%96%E3%83%BC#%E6%94%BF%E6%B2%BB%E4%BD%93%E5%88%B6%E4%B8%8A%E3%81%AE%E3%82%BF%E3%83%96%E3%83%BC
短歌雑記帳　新アララギ
http://www.shin-araragi.jp/zakki_bn/bn_10/zakki1003.htm

地球ことば村　神代文字
http://www.chikyukotobamura.org/wr_columun_8.html

日本書紀、全文検索
http://www.seisaku.bz/shoki_index.html

ほつまつたゑ　解読ガイド
https://gejirin.com/

和歌―Wikipedia
https://ja.wikipedia.org/wiki/%E5%92%8C%E6%AD%8C#cite_note-1

和字考（宮内庁書陵部、撮影：一九八六）
http://base1.nijl.ac.jp/iview/Frame.jsp?DB_ID=G0003917KTM&C_CODE=KSRM-397904

ら　行

わ　行

ま　行

や　行

な　行

は　行

さ　行

た　行

索　引

【著者略歴】

上領　達之（かみりょう　たつゆき）

一九四二年　東京生まれ
一九六五年　東京大学農学部卒業
一九七〇年　東京大学大学院農学系研究科博士課程修了
（農学博士）
一九七三年　京都大学医学部助手
一九九一年　広島大学総合科学部教授
二〇〇六年　広島大学名誉教授

著書
人間理解のコモンセンス（編著、培風館、二〇〇二）
人間という生き物（培風館、二〇〇六）
人間を知るための化学（培風館、二〇〇七）
人間と遺伝子の話（培風館、二〇〇八）

ホームページ
https://home.hiroshima-u.ac.jp/kamiryo/

紀貫之とカミヨの歌――ヲシテを知って！

令和２（2020）年10月20日　初版第一刷　発行

著　者　上領　達之
発行所　株式会社　溪水社
広島市中区小町1-4（〒730-0041）
電話082-246-7909　FAX082-246-7876
e-mail: info@keisui.co.jp
URL: www.keisui.co.jp

ISBN978-4-86327-538-6 C0091